P9-CEN-250

LA COULEUR DANS LES MAINS

DU MÊME AUTEUR

Des poupées et des anges, Au diable vauvert, 2004
Plaqué or, Au diable vauvert, 2005
Les Enlacés, Éditions Léo Scheer, 2010

© Éditions Léo Scheer, 2011
www.leoscheer.com

NORA HAMDI

LA COULEUR DANS LES MAINS

roman

Éditions Léo Scheer

Il fait froid. Sec. Sous ma minijupe noire, mes cuisses se serrent quand un vent glacial me rappelle mes collants trop fins, la lampe chauffante ne me fait aucun effet, je plonge ma main dans la poche de mon tablier, rends la monnaie au client empressé, pose mes yeux sur ma montre, mon service va se terminer dans cinq minutes et Alice n'est pas encore là. Je débarrasse la table, mon patron me tend une enveloppe, sans m'étendre je remercie, fonce dans les vestiaires en enlevant mon tablier. Clope coincée entre mes lèvres, j'ouvre mon casier, j'enlève l'élastique qui me serre le crâne, rabats en arrière mes cheveux, récupère mon sweat-shirt, mes baskets, je vire la fumée de mes yeux, du mal à apercevoir ma tête dans la petite glace collée au dos de la porte du casier. Pas le temps de me farder, j'écrase ma cigarette.

Alice, blonde, yeux bleus, habillée très mode, entre en claquant la porte sur le patron qui lui braille dessus. Déjà fatiguée de lui, elle souffle en criant :

— Désolée pour le retard, c'est à cause des grèves !

Sans se faire attendre, la voix du patron rétorque :

— Y a pas de grèves aujourd'hui !

Alice jette un œil vite fait sur moi, cherche un pauvre prétexte :

— Si, juste sur ma ligne, mais ne vous inquiétez pas, j'arrive !

En vitesse elle enfile sa tenue, change d'expression quand elle s'attarde sur moi.

— Tu m'as l'air toute contente, qu'est-ce qui t'arrive ?

— J'ai une super bonne nouvelle, tu vois la cliente toujours pressée qui mange en terrasse le midi ?

— Non, je vois pas, rappelle-toi que je suis du soir maintenant…

— Bref, cette cliente travaille dans l'immobilier et elle m'a proposé de visiter un studio.

On cogne à nouveau à la porte, cette fois la voix du patron hurle :

— Mais qu'est-ce que vous faites bordel, y a du monde en salle !

Alice lève les yeux en l'air, vaut mieux remettre cette discussion à plus tard, je lui dépose une bise sur la joue, je sors de la crêperie en contrant le vent glacial qui me gifle méchamment le visage, ma peau mate se fige, mes longues mèches auburn volent dans les airs, l'odeur du graillon s'évapore, je suis soulagée quand je sors de là.

Même pas dix minutes. C'est le temps pour aller de la rue Saint-Denis à la rue d'Argout. Elle se situe entre la rue Montmartre et la rue du Louvre. Depuis un bon moment déjà j'avais abandonné l'idée d'habiter Paris. Trop cher, trop compliqué, trop loin pour insister. Maintenant que c'est peut-être possible, ça me fait doucement sourire. Mon rendez-vous sort d'une Clio rouge stationnée face à une porte bleue sans prétention. L'agent immobilier doit avoir la quarantaine passée, je ne connais ni son nom ni son prénom, elle est restée vague sur son identité, je sais juste qu'elle travaille dans l'immobilier depuis plus de vingt ans. J'aime bien son style décalé, larges lunettes marron aux verres fumés par temps gris, imperméable d'été pour l'hiver, robe droite trop serrée, escarpins de dix centimètres, petits pas de Chinoise. Avec un sourire confiant, elle me rappelle ses propos du midi. Elle ne m'a pas menti, le studio est bien à cinq minutes de mon travail. Sagement, je la suis, couloir étroit, petite cour, escalier extérieur. On s'arrête au premier étage. Avec insistance, l'agent me sourit quand je surprends ses longs coups d'œil sur mon physique. Sans commentaire, j'entre dans le studio de douze mètres carrés. Mes yeux se rivent sur les deux larges fenêtres double vitrage du petit espace. Furtivement je parcours le sol pourri en donnant l'enveloppe à l'agent. Elle parle vite, fume vite, tire trop vite sur sa clope.

— C'est vrai que ça ressemble plus à une chambre qu'à un studio mais c'est comme ça qu'on le présente.

En même temps, elle effleure le montant de mes fiches de paye en ajoutant :

— Je peux les garder ?

— Oui, c'est pour vous, c'est des photocopies.

— C'est juste pour rassurer le propriétaire, qu'il voie que le montant de tes fiches de paye est largement suffisant pour payer le loyer qui, comme tu l'as remarqué, n'est pas énorme.

— Et pour les garants, comme je vous l'ai dit, je n'en ai pas.

L'agent se dirige vers le lavabo, ouvre le robinet sur sa clope consumée, regarde autour d'elle puis, avec une légère inspiration, elle ouvre la fenêtre, jette le mégot dehors, revient vers moi.

— Bon, le propriétaire qui habite Paris est un ami, je peux me débrouiller pour qu'il te demande juste une caution d'un mois et, pour les garants, je vais lui dire que je te connais bien, que je te fais confiance.

— Merci, c'est…

— Non, ne me remercie pas trop vite, le reste ne va pas te faire plaisir, à moi non plus d'ailleurs, mais c'est la réalité. Voilà : malheureusement mon ami n'est pas le seul propriétaire du bâtiment, il le partage avec un cousin qui habite la province, et lui ce n'est pas du tout mon ami. Bref, le cousin ne veut *un propriétaire est raciste*

pas d'étrangers dans son immeuble…

J'ai à peine le temps de répliquer qu'elle reprend aussitôt :

— Oui, je sais, tu es française, mais pour lui ça ne change rien. Donc je te propose de modifier tes nom et prénom, changer Yasmine Belhifa *vrai nom* en Janine Beli. *nouveau nom* Ce nom apparaîtra juste sur la boîte aux lettres, je peux m'arranger pour que l'autre propriétaire mette ta vraie identité sur le bail. Son cousin ne rencontre jamais les locataires, il n'ira pas plus loin s'il voit ce genre de nom sur la boîte.

Décontenancée, je tente désespérément de répondre à la situation, cynique, presque ironique, très vite l'agent remarque ma désapprobation, les mots me manquent, elle tente de me rassurer :

— Tu sais, pendant la guerre beaucoup de juifs devaient changer leurs noms aussi.

Sa réponse ne me rassure carrément pas. Dubitative, j'effleure cette partie nauséabonde de l'histoire, je tords la bouche en chassant ce passé amer pour revenir à une réalité que j'espère meilleure.

— Et comment je fais pour le courrier ?

— Tu n'auras qu'à faire adresser ton courrier au nom de Yasmine Belhifa chez Janine Beli. L'important pour toi, c'est d'avoir un bail avec ton vrai nom, et puis t'es en plein centre de Paris, non ?

Par un acquiescement, je conclus l'affaire. L'agent s'accroupit pour étaler le dossier tandis que je lui tends ma carte d'identité française en survolant l'étendue du studio. J'imagine déjà ma nouvelle vie, note tout de même l'immeuble d'en face qui me fait de l'ombre.

— On se verra une fois par mois pour que tu me donnes l'argent en cash, ça te va ?

Je devine que ce n'est pas déclaré.

— Ça me va.

Elle me tend son stylo, sans me répandre je signe mon bail, récupère les clefs du studio et de la boîte aux lettres. Un silence s'impose, s'enracine lourdement. Gênée, l'agent inspire, tousse, sort une nouvelle clope, réajuste son sac, change définitivement de sujet en me proposant :

— Si ça t'intéresse, je peux te passer un frigo et des plaques chauffantes. Des locataires les ont laissés dans leur ancien appartement, ils sont presque neufs.

Malgré moi je la dévisage. Me demande pourquoi elle est si sympa, très vite ma pensée me dépasse :

— Merci mais pourquoi vous faites tout ça ?

— Parce que je m'appelle Rachel Cohen et que j'adore emmerder ceux qui veulent vivre dans un monde où tout le monde se ressemble.

Elle ajoute avant de partir :

— Je t'appelle demain pour les affaires.

Courtoisement je réponds à son air complice, lui montrant bien que j'apprécie avant de refermer le verrou derrière elle. Mes pas s'enfoncent dans le sol irrégulier du vieux lino fatigué. Murs effrités, plaques de polystyrène collées au plafond. Rien ne laissait suspecter que Rachel Cohen était d'origine juive, avec son carré blond et ses yeux verts. J'ouvre une fenêtre, dois me pencher pour voir un bout de ciel bleu. Le bruit provenant d'un restaurant me rappelle le flux d'odeurs distillées dans la cour, je referme. Il faudrait que j'achète un canapé-lit, une table. J'évite le miroir au-dessus du lavabo, j'évite mon physique typé arabe, j'évite de penser à mon nom, typé arabe aussi, j'oublie que je viens de le troquer. Changer d'identité pour devenir parisienne n'était pas vraiment dans mes plans.

À grandes enjambées, je sors de la gare de Drancy pour attraper mon bus, je cogne sur la vitre, le chauffeur ralentit, je réussis à monter dans le car qui roule encore. Coincée par la foule, j'abandonne l'idée de me faufiler entre les gens, le monde embouteillé m'intime l'ordre de ne plus bouger. Je reprends mon souffle en inspirant des odeurs sirupeuses mêlées à la sueur et aux parfums. Les efforts de fin de journée envahissent le bus, les murs taggés, graffés, délavés par le temps s'éloignent, les commerces se raréfient, les rues s'assombrissent. Après plusieurs arrêts, la nuit est totalement tombée quand j'entre dans la cité qui m'a vue grandir. Je salue familièrement une ancienne copine de lycée voilée, fais signe de la tête à un voisin qui tient les murs depuis longtemps. La fraîcheur du vent m'empêche de m'attarder quand il me sourit trop, je remonte l'allée sinueuse jusqu'à la tour numéro 16. Alice m'attend à l'entrée du hall. Machinalement, on entre dans la cage d'escalier, on se pose sur les marches, la flamme du briquet allume nos clopes, on parle du studio tout de suite. Bien sûr, j'évite d'évoquer le changement de nom, elle le remarquera bien assez tôt. Déjà, de nouvelles perspectives s'ouvrent. Sous nos vingt ans, des envies plein la tête. Depuis le lycée j'ai toujours fréquenté Alice. Nos premières sorties, mecs, conneries, c'est ensemble qu'on les a expérimentés. Depuis quatre mois, on travaille à plein temps comme serveuses dans une crêperie située au cœur des Halles à Paris. La lumière s'éteint quand Alice écrase sa clope, j'appuie sur le bouton de la minuterie, les murs craquelés rappellent la forte humidité, des pas résonnent dans les étages. Il est temps de rentrer. Avec un hochement de tête familier, on se quitte. Je monte les marches pendant qu'Alice les descend.

Dans l'appartement, je ne m'arrête ni dans le salon ni dans la cuisine, je m'enfonce directement dans le couloir. Je ralentis quand mes yeux s'immobilisent sur le filet de lumière qui scintille sous la porte de ma chambre. Fermement je saisis la poignée, ouvre d'un coup net, reste surprise face au visage bouleversé de mon oncle devant des cartons à dessins ouverts. Livide, il me scrute en détail, examine à nouveau les grandes feuilles sur lesquelles sont dessinés des corps de femmes et d'hommes nus. Entre la confusion et la pudeur, il cherche à comprendre ce que je suis devenue. Je ne lui ai jamais parlé de mes projets. Me rappelle encore la première fois qu'il m'a vue dessiner. Avec un air proche de l'anémie, il m'a longuement regardée comme si j'étais tarée. Il semblait profondément déstabilisé quand du jour au lendemain, suite à cette révélation, je me suis mise à dessiner sur n'importe quel emballage qui me tombait sous la main. J'avais besoin de laisser ma trace, marquer ma désapprobation quand j'ai compris qu'il cherchait à effacer un passé que j'ignorais. Il n'avait pas prévu que je l'entende parler avec sa femme de mes parents. Jusqu'à l'âge de sept ans, j'étais certaine que mes parents, c'étaient eux. Ils ne savaient pas que j'étais dans la cuisine le jour où ils ont abordé le sujet. J'ai dû insister pour qu'ils me révèlent la vérité : l'accident qui a tué mes parents quand j'avais six mois. C'est la seule chose que je sais d'eux. Mon oncle est incapable de me parler de sa sœur et de son mari. La douleur l'empêche de sortir les mots. Ni lui ni ma tante ne veulent évoquer ce passé pour mon bien. Seulement, depuis ce jour, je vis avec un trou noir. Je ne connais ni le métier de mes parents, ni ce qu'ils aimaient dans la vie, ni ce qu'ils étaient. Je sais juste qu'ils m'adoraient et que mon oncle et ma tante ont toujours tout fait pour combler leur manque. Musulmans pratiquants, ils ont toujours respecté mes choix, ne m'ont jamais forcée à faire le ramadan, aller à la mosquée le vendredi ainsi que suivre d'autres pratiques érigées par cette religion. Comme ma tante, mon oncle n'a jamais été un grand bavard, le silence a toujours été leur ami. Mais c'est ce silence-là, ce lourd silence plombant, bruyant, encombrant, qu'en grandissant je n'ai jamais supporté. Avec les années, secrètement j'ai fini par me réfugier régulièrement dans ma chambre pour dessiner. Je ne montrais mes dessins à personne. Ne plus me voir dessiner du jour

l'exclusion géographic

au lendemain les a calmés. Ils pensaient que c'était un caprice, une passade, ils étaient pleinement rassurés. Jamais je ne leur ai parlé de mes cours d'art. Maintenant, je me demande si mon oncle m'en veut de dessiner ces choses-là. Attentivement, il contemple toujours les dessins. La reproduction de corps nus le gène-t-elle ? Bien sûr, des corps nus, il en a déjà vu, croisé dans les journaux, à la télé. Mais sa façon de regarder mes nus l'enfonce dans la réserve, la réflexion le gouverne, le désordre retentit. J'aimerais qu'il me parle. Mais il ne me dit rien. Il ne me juge pas. Attentivement, il observe ces corps tantôt indolents, maigres, charnels.

Il y a un an, j'avais prétexté une école de mode par peur de décevoir. L'idée de montrer la nudité à un pratiquant religieux m'avait freinée. La mode, je savais que ça pouvait passer. Ma tante adorait les beaux tissus, les vêtements. Lui, il trouvait que c'était un bon moyen de gagner sa vie, c'était du commerce. Après mon bac manqué, j'ai découvert cette école privée à Paris, où il existait, en plus des cours de mode, des cours d'arts plastiques. J'ai passé le concours, que j'ai obtenu. Depuis quelques mois j'ai quitté les cours et aujourd'hui, le jour où je trouve un toit à Paris, la vérité sur ce que je fais éclate.

Je me demande ce qui a poussé mon oncle à entrer dans ma chambre. Pourquoi pas avant ? Pourquoi n'ai-je pas rangé studieusement mes dessins comme j'ai l'habitude de le faire ? Maintenant, j'aimerais qu'il me parle. Mais mon oncle reste silencieux. Calmement, il repose les dessins, évite encore de confronter son regard au mien. Il s'en va. Sort sans rien dire. Je regarde la porte. J'aurais aimé qu'il la claque. À travers cet acte, j'aurais pu deviner une réaction, un message. Mais pas cette indifférence-là. Pas ce néant, ce silence. Demain, je briserai ce silence. Demain je parlerai de mon départ.

Ma tante avait bien remarqué mon désintérêt pour les vêtements. C'était pour mon bien qu'elle m'avait conseillé de me lancer dans la mode. Elle pensait qu'être bien habillée aurait pu masquer mon milieu défavorisé, que j'aurais eu plus de chance si j'étais toujours bien vêtue, coquette, apprêtée en toutes circonstances. Sur la peinture, elle a zéro idée. Aucun exemple de réussite autour d'elle ne peut la rassurer. Elle ne semble pas visualiser la chose, ce n'est ni un métier, ni un travail, ni une position. C'est juste inimaginable, « ça ne sert à rien dans la vie ». Elle ne semble pas comprendre mon choix. Ce matin, je devine encore de longues concertations passées entre elle et mon oncle. Enfoncés dans le canapé, ils se demandent maintenant ce que j'ai à leur dire de si important. Mes yeux s'aimantent sur la clope serrée entre les doigts de mon oncle, j'aimerais tirer une latte, une longue bouffée pour me rasséréner avant de me lancer. Mais je ne peux pas, il ne sait pas que je fume. Avec sagesse, de ses lèvres il rejette un nuage en cercle, la clope est le seul péché auquel il n'a pu renoncer. Depuis que je le connais, je l'ai toujours vu fumer. Je me renfonce dans ma chaise, puise dans mes dernières forces pour me débarrasser de la nouvelle.

— Je vais m'installer à Paris, je vais déménager.

En même temps, ils me dévisagent quelques secondes, un son finit par sortir de la bouche de mon oncle :

— Tu vas vivre à Paris ?

— J'ai trouvé un studio.

— Quand ?

— Hier.

Ma tante essaie de parler à son tour :

— Mais...

Les mots ont du mal à venir, elle ne semble pas bien réaliser la chose, mon oncle la devance en terminant sa phrase :

— Mais comment tu vas faire pour payer ? Tu vas vivre de quoi ?

— Je vivrai de mon métier. Je vais être peintre.

— Tu penses sérieusement que c'est un vrai travail ce que tu veux faire ?

— Oui, ça peut marcher.

— Déjà qu'on a du mal avec un travail normal alors avec la peinture, c'est pire. Faut être riche de naissance pour faire ce travail-là.

— Possible mais faut que j'essaie pour voir si ça marche.

— C'est pour ton bien que je dis ça, fais autre chose, de vraies études.

— Mais j'ai déjà fait de vraies études d'art, c'est ça que je veux faire.

— Tu peux pas faire ça, ça va pas marcher, tu peux pas en vivre, comment tu vas faire pour payer la vie?

— J'ai jamais demandé d'argent depuis mes seize ans, j'ai toujours travaillé à côté pour m'assumer.

— C'est parce que tu vivais chez nous que tu pouvais t'en sortir, mais là, tu sais ce que ça veut dire? Tu vas tout payer toute seule, ton loyer, tes factures, le manger et en plus le matériel qu'il te faut pour faire ce métier-là.

— Je sais, j'y ai déjà pensé mais je t'ai dit: je vais assurer.

Il regarde sa femme qui a perdu sa langue depuis l'annonce. Vainement elle inspire, expire, mon oncle écrasc sa cigarette avec exaspération, sa femme se ressaisit, tente à son tour de me dissuader:

— Écoute, fais un travail qui rapporte de l'argent, là tu vas vraiment te casser la tête, y a pas de gens comme nous dans ces milieux, ton oncle a raison, pour faire ça faut être déjà riche au départ, si t'es né riche, tu peux peindre.

le connection entre les meilleures economique & faire de la peinture

23

T'es pas à ta place avec ce travail.

— Mais si j'essaie pas, je saurai jamais.

Mon oncle se durcit :

— Je vais te dire ce qui va se passer, on va te faire croire que ça peut marcher et tu vas vraiment y croire, mais au dernier moment, tu vas recevoir une bonne claque qui va te faire comprendre qui tu es et ça va te renvoyer directement d'où tu viens !

Il évite mon regard, je le relance fermement :

— Ma décision est prise. Alors ?

— Alors quoi ?

— Alors, j'ai votre accord ?

— Notre accord ? Mais tu t'en es déjà passé en nous cachant tes cours, tu savais qu'on était contre.

— J'avais pas le choix. Bon alors ?

— Alors, on en reparlera quand tu auras réussi à vivre de ça sérieusement. En attendant, ne nous demande pas de venir te voir dans la galère, je supporterai pas de te voir dans un trou à rats alors que tu as tout ce qu'il te faut ici.

Ma tante ajoute :

— Et chaque week-end tu viens nous voir.

Soulagement. Je respire. De justesse je viens d'arracher leur accord pour faire ma vie à Paris. Suis rassurée qu'ils ne viennent pas me voir dans la galère, pas envie qu'ils voient où je vis. Depuis la révélation de la mort de mes parents, je crois que c'est la deuxième fois que j'ai une discussion aussi longue avec eux. Je profite du bruit de pas de mon cousin Malik pour me lever. Je cours vers le couloir quand il claque la porte. Dans la cage d'escalier, je me penche sur la rampe pour l'apercevoir deux étages plus bas. Sa tête de gamin malgré ses dix-neuf ans se relève quand je l'appelle, sa voix encore immature me répond :

— Je suis pressé, tu veux quoi ?

— Ton vélo, tu l'as toujours ?

— Tu le veux quand ?

— Le plus vite possible, je t'expliquerai.

Après un silence, et ne l'apercevant plus, je m'avance pour comprendre pourquoi il s'est reculé. J'entends la voix d'Alice, je discerne mal ce qu'ils se disent, ça m'irrite légèrement d'être exclue d'un coup, je tousse pour rappeler ma présence, Alice réapparaît aussitôt, vient à ma rencontre pendant que Malik continue de descendre. En la voyant monter, je remarque son gros sac de voyage, ne comprends pas : aucun voyage n'est prévu. Avec un sourire insolent, elle m'affirme qu'on s'était toujours promis d'habiter ensemble. Pendant quelques secondes je ne dis rien. On n'a jamais parlé de ça, j'ai franchement un doute sur cette anecdote. Je finis par sourire, je connais par cœur les bobards d'Alice.

Dans le RER, direction Châtelet-Les Halles, sacs de voyage calés sur nos genoux, Alice ne tient pas en place depuis qu'on a quitté la gare de Drancy. Dès qu'un silence intervient, elle se mord les lèvres en me jetant d'incessants coups d'œil. Après plusieurs stations, je lui arrache une explication.
— Bon, qu'est-ce que t'as ?
Alice regarde par la fenêtre, se pince encore les lèvres, puis se lance :
— J'ai croisé Benoît hier soir en sortant du boulot.
— Croisé ?
— Je te jure, je l'ai pas appelé.

— Tu vas me faire croire que tu l'as croisé par hasard ?

— Bon, ok, on s'appelle de temps en temps.

— Vous vous appelez ?

— Je te rappelle que je me suis pas fâchée avec lui, moi…

Je la fixe, j'attends la suite.

— Ok, il m'a appelée un mois après votre embrouille. Il voulait avoir des nouvelles, j'ai dit que t'allais bien et voilà…

Par M. Arnaud, mon ancien professeur d'arts plastiques, j'ai rencontré Benoît. Depuis deux ans, je me suis liée d'amitié avec M. Arnaud, âgé d'une cinquantaine d'années. C'est grâce à lui que j'ai remporté le concours d'entrée dans l'école privée d'arts plastiques. Tout de suite il a accroché avec mes dessins. Suis restée six mois dans cette école. Mon travail de caissière chez Leader Price à Drancy le week-end n'était pas suffisant pour payer mes études. M. Arnaud connaissait ma situation financière, c'est lui qui m'a proposé de venir aux cours du soir qu'il donnait également aux Beaux-Arts. J'y suis restée un an. Le dernier jour passé là-bas, j'ai rencontré Benoît. J'étais assise au troisième rang, assez loin du modèle masculin qui posait sur l'estrade quand je l'ai vu entrer. Mes yeux se sont immédiatement tournés vers son attitude, sa démarche, sa façon d'être particulièrement insolente. Ce n'était pas un élève, je ne l'avais jamais croisé auparavant. Après avoir fait un signe à M. Arnaud, qu'il semblait bien connaître, il s'est imposé dans mon champ de vision. J'ai fait mine de me concentrer, mais le fusain que je serrais trop fort entre mon pouce et mon majeur a fini par craquer. Trahie par mes gestes, j'ai relevé la tête quand M. Arnaud s'est déplacé vers l'estrade pour remercier le modèle. Les élèves ont rangé leurs affaires, puis la salle s'est vidée pendant que Benoît et M. Arnaud discutaient. J'ai pris mon temps pour enlever la pince retenant ma grande feuille. Je tardais, lentement j'ai noué la ficelle de mon carton à dessin. Doucement j'ai enfilé ma veste. D'un pas tranquille je me suis avancée, j'ai pris soin de saluer M. Arnaud en passant devant Benoît. Je pensais qu'il ne m'avait pas remarquée mais, aussitôt dans le couloir, il m'a accostée. En l'entendant m'appeler par mon prénom, j'ai saisi que, non seulement il m'avait remarquée, mais qu'en plus il s'était renseigné sur moi auprès de M. Arnaud. C'était un de ses anciens élèves, il a suivi ses cours pendant trois ans avant de voler de ses propres ailes. Ce soir-là, Benoît m'a accompagnée jusqu'à Drancy.

Il était parisien de naissance, et avait toujours habité dans le XVIIe arrondissement. Très vite, on s'est revus. L'ennui n'existait jamais entre nous. En sortant de l'école, Benoît a tout de suite su ce qu'il voulait peindre : il voulait perdurer dans le mouvement du graffiti art, il était très actif, bombait des fresques à l'ancienne comme dans les années 90. Il ne supportait pas le graffiti en cadre. Il aimait l'idée de peindre dans l'interdit. Il m'a rapidement proposé de graffer sur les murs avec lui. Il savait que je connaissais la technique. Il m'a invitée à partager une fresque sur un terrain vague abandonné aux abords du périphérique. Je l'ai suivi, j'avais jamais essayé. Pendant des semaines, on s'est fréquentés dans ces conditions. La peinture privilégiait une relation particulière entre nous. Mais très vite, lorsque Benoît a voulu peindre la nuit sur les murs de la gare Saint-

Lazare, ça a dégénéré sérieusement. L'aventure a tourné court. En pleine réalisation, on s'est fait embarquer par des maîtres-chiens. Sans traîner on a atterri au poste de police. J'étais folle de rage, m'en voulais de m'être laissée entraîner dans une pratique qui n'était pas la mienne, et surtout j'étais vexée de découvrir qui était vraiment Benoît. Au poste, il avait tellement revendiqué l'art du graffiti, celui des pauvres, qu'il a éveillé des soupçons auprès d'un agent qui s'est aussitôt intéressé à son cas. En consultant son dossier, le smicard lui a fait fermer sa gueule d'un coup quand il lui a rappelé qu'il n'avait pas à recevoir de leçons d'un gosse de riche au sujet de vies qu'il n'avait jamais vécues. Ce soir-là, après une courte garde à vue de deux heures, j'ai décidé d'oublier Benoît.

De plein fouet, la station Châtelet-Les Halles me ramène à la réalité quand j'aperçois la foule sur le quai. Avec Alice, on tente de se frayer un passage dans la rame pleine à craquer, nos gros sacs se traînent sur l'escalator, mes yeux s'éternisent sur Alice, les questions me démangent, je voudrais en savoir plus sur Benoît. Dans la rue Rambuteau, je finis par craquer :

— Et vous avez parlé de quoi ?

— De l'embrouille.

Bouche bée, je ne dis rien, je la trouve classe : elle savait et jamais elle n'a osé m'en parler. Cependant, le contenu de leur conversation me travaille. Alice le remarque, aussitôt elle poursuit :

— En fait, tu lui en veux de t'avoir menti pour cette histoire ?

— Oui.

— C'est marrant, en l'écoutant, je me disais que la vie était mal faite, lui aimerait être à ta place et toi à la sienne.

Ne me suis jamais posé la question, ça me laisse sans mots. Alice continue :

— Il m'a dit qu'il voulait pas profiter de l'argent de ses parents et que c'est pour ça qu'après les Beaux-Arts, il a décidé de s'assumer seul.

— Mais là-dessus j'ai rien à redire, on choisit pas d'où on vient mais on choisit ce qu'on devient. J'en veux pas à Benoît d'être né dans un milieu bourgeois, mais il m'a déçue parce qu'il m'a menti, c'est tout.

— Bon, je vais pas le plaindre mais je crois qu'il savait pas comment te le dire, il a dû se sentir coupable par rapport à nous.

— Attends, la société fait déjà tout pour qu'on se sente coupable alors je ne vais pas en rajouter. Moi, personne ne m'a jamais demandé mon avis sur ma position, les gens n'ont pas le temps de réfléchir dans notre milieu, on n'a pas le choix, la pression a pris le dessus dans cette société de consommation où l'argent dicte nos conditions de vie. Tout est calculé pour que la survie nous empêche de penser.

Alice me déshabille du regard. Ma réponse la plonge dans le silence. Au bout de quelques minutes, arrivées devant ma porte, Alice cale ses sacs contre le mur en détaillant la rue tandis que je fais le code. Pleine de curiosité, elle me suit dans le couloir, traverse la cour, gravit les marches extérieures sans oublier notre conversation :

— Tu m'as pas répondu.

— Quoi ?

— Tu veux plus jamais le revoir ?

Ma bouche se tord en guise de réponse, je la laisse entrer dans le studio, impose un silence pour clore le sujet. Elle hausse les épaules, examine la pièce, repère tout de suite à l'extrémité le petit lavabo, puis change radicalement d'expression quand elle découvre le deuxième lavabo qui servira de douche.

— Et tes toilettes ?

— Dans l'escalier.

— Sur le palier ?

— Non, dans l'escalier même.

— Ça veut dire quoi ?

Alice me suit, monte les six marches du premier étage. J'ouvre dans le mur une minuscule porte encastrée à la hauteur des marches. Atterrée, Alice me dévisage.

— C'est une blague ?

— Non, moi aussi la première fois que je les ai vues, je savais pas si j'allais rire ou pleurer...

— Putain l'arnaque, c'est un faux studio que t'as !

— Bienvenue à Paris !

Alice enjambe l'entrée des minuscules toilettes en disant :

— Ça va être trop la honte quand les voisins

vont monter l'escalier, c'est sûr ils vont nous entendre !

— Possible, mais en même temps on va pas vivre dedans, allez viens.

Je file à grande vitesse entre les voitures qui m'empêchent de passer et prends les trottoirs sans me retourner sur les klaxons. Encore surprise de mon rendez-vous, je slalome en pensant à Rachel. En lui remettant mon loyer en cash, j'ai eu du mal à croire qu'elle trimait pour trouver son propre appartement. Depuis son divorce il y a un mois, elle doit déménager avec ses deux enfants. Ses propriétaires, qu'elle croyait amis, refusent désormais de lui louer un appartement. Dépitée par leurs réactions, elle parle maintenant d'acheter une péniche pour y vivre. En attendant, elle doit quitter son cinq-pièces pour un deux-pièces. Je n'ai pas compris pourquoi elle s'est mise à se livrer ainsi. En l'espace de trois mois, c'est la première fois qu'elle se confie à moi. Je l'ai écoutée sans m'étendre. D'un coup sec, je freine devant ma porte quand je me rends compte que je suis arrivée. La porte s'ouvre malgré moi, un vieux couple sort en me regardant avec condescendance, ils ne me répondent pas quand je les salue. Très vite, j'oublie, j'entre dans la cour en relevant la tête sur les fenêtres qu'Alice a laissées ouvertes. Mon vélo sous le bras, je monte les marches de l'escalier extérieur deux par deux, pose mon vélo à l'entrée. L'odeur des poubelles pleines sous les fenêtres envahit la pièce. Je pose les yeux sur le dos de mes premières toiles d'un mètre sur deux plaquées contre le mur et les retourne. En les contemplant, je reste perplexe. Je ne sais quoi penser de ces personnages aux formes tremblantes, déformées, nerveuses. J'étais loin de soupçonner en moi cette façon de peindre. Sans me maîtriser, je me suis laissé entraîner par d'obscures couleurs, des sortes de monochromes. Guidé par l'instinct, mon inconscient m'a conduite à un indéfinissable genre sombre. Devant la singularité des nuances, à la fois flamboyantes, profondes et dérangeantes, je me demande si mon travail est merdique ou génial. J'examine mes initiales en même temps que j'allume une cigarette. Pourquoi n'ai-je pas écrit mon nom en entier ? C'est venu spontanément. Curieux. Plus le temps passe, moins j'ai l'impression d'assumer ce nom qui n'est pas le mien. Pourtant, j'avais décidé de faire abstraction de ça, mettre Janine Beli dans un coin de ma tête était prévu, oublier ce désagrément : je l'avais définitivement décrété. Seulement, avec le temps, des questions sur ce que je suis se heurtent régulièrement dans mon esprit, de façon lancinante, elles tambourinent, se cognent, résonnent profondément en moi. Quelque chose de l'ordre d'un secret me hante. Je m'en suis aperçue lorsque Malik et Alice m'ont appelée ironiquement Janine. Ça m'a insupportée, l'impression de ne pas exister, d'être effacée, qu'une partie de mon entité était amputée. Je ne sais pas si c'est le fait de vivre dans l'anonymat d'une grande ville mais l'idée que personne ne sache que mon oncle et ma tante ne sont pas mes parents m'isole. Depuis que j'habite Paris, je réalise que je ne le vis pas si bien que ça, ce secret. J'écrase ma clope. Fermer les yeux, me concentrer, faire comme par le passé, dessiner pour ne plus réfléchir, se plonger dans l'absence sont la seule façon de taire les choses empoisonnantes, étouffantes, impénétrables.

Je détourne les yeux de mes initiales. J'examine l'ensemble de mes toiles. Je pense à Benoît. À travers le timbre de sa voix, je l'ai senti ému au téléphone. Ébranlée par son émoi, j'ai masqué mon trouble pour lui parler, sans entrer dans les détails, juste dit que j'avais trouvé un studio vers les Halles, que j'avais commencé à peindre, que j'aimerais bien avoir son avis. Il n'a presque pas parlé de lui, juste donné rendez-vous. Me demande s'il habite toujours dans son squat à Vincennes, s'il fait toujours des chantiers pour vivre. Première fois qu'il va voir mon travail. À part les fresques à la bombe aérosol qu'on a faites ensemble, il n'a jamais rien vu de moi.

L'heure tourne, on finit par frapper à la porte. J'inspecte le studio rangé. Je découvre Benoît radicalement changé. Il n'a plus le crâne rasé, ses cheveux en bataille épousent parfaitement son visage anguleux, ses yeux verts sont toujours aussi vifs, je le trouve subitement mieux avec ses mèches châtain dépeignées. Il porte toujours le même genre de jean, quatre tailles de plus, tombé sur ses hanches étroites, son large blouson donne une impression de maigreur. Il me fixe, ne décroche jamais de sourires quand il est gêné. En pénétrant dans la pièce, il se pose directement devant les toiles, comble immédiatement le silence :

— J'aime bien tes personnages, c'est intéressant ta façon de mélanger les matières.

Il s'approche, touche la toile à un endroit où la texture change.

— Sauf que ça a fait des craquements…

— C'est un accident, j'ai eu un soucis avec le mélange d'huile et d'acrylique, j'avais plus de tubes d'huile, j'ai fini à l'acrylique. De toute façon, maintenant, je ne vais peindre qu'à l'acrylique ou à la bombe, ça coûte trop cher les tubes d'huile.

— Tu te fournis où ?

— Partout où c'est pas cher.

Benoît acquiesce, se retourne vers ma pile de livres d'art qui ne me quittent plus depuis l'adolescence. Des yeux il parcourt la peinture italienne, américaine, repère Basquiat, Picasso, Da Silva, Warhol, Klee, Frida Kahlo, Van Gogh… Il ne continue pas sa lecture et demande :

— T'as pas peur d'être trop inspirée ?

— Non, justement, je garde tous ces livres pour ne pas copier les peintres que j'aime…

Il plonge ses mains dans ses poches, on évite de croiser nos regards depuis le début, à mon tour je comble le silence en poursuivant :

— Et toi, t'as fait quoi depuis ?

— J'ai découvert la prison…

À force de jouer les rebelles, Benoît a payé le prix fort. Après avoir enchaîné les arrestations pour dégradation de biens publics, son dossier a fini par peser, sa dernière arrestation s'est très mal passée, il s'est battu avec un agent et l'a blessé. La prison, c'était la première fois qu'il y mettait les pieds. Un mois passé là-bas ne l'a pas calmé. Comme une drogue, il a eu besoin de recommencer à peindre des murs. Deux semaines après sa sortie, il est retourné dans les gares, les métros, sur les toits d'immeubles pour peindre à l'ancienne, dans l'interdit…

En l'écoutant me parler de sa passion pour le risque, je réalise qu'il m'avait manqué plus que je ne le pensais. J'étais trop en colère contre lui pour le remarquer. Maintenant qu'il est en face de moi, j'ai envie que sa présence se prolonge.

— T'es toujours à Vincennes?

— Non, en ce moment je dors à droite à gauche.

Il me fixe en poursuivant:

— Si tu veux, je peux te montrer un magasin de peinture pas cher, si t'as rien à faire on peut y aller maintenant?

Sans traîner, j'attrape mes clefs pour partager encore du temps avec lui. Être dans la même envie au même moment, c'est ce qui nous a toujours rapprochés.

Sous la lumière électrique, brosse sur toile, ma vision se trouble par moments, quand la fumée passe devant mes yeux. Par fragments, les nuances changent, vibrent, se déplacent. Graduellement l'ensemble évolue vers des formes loin d'être celles du départ. La peinture s'empare de moi dans une sorte d'incons- cience, le néant m'enfonce dans des profon- deurs inconnues. Cet état me fige dans le temps, me donne l'impression de durer une éternité. À travers les traits, les formes, la couleur, je fouille, traque une énergie, une vivacité, une force singulière, un style qui donneraient une autre vision de ma réalité.

Je colle mon nez sous mon sweat-shirt, l'odeur de l'acrylique et de la glycéro envahit mes narines, du mal à respirer, le vertige me fait planer, me défonce parfois. Je voudrais rester encore dans cette espèce de flottement mais la porte qui s'ouvre me sort de mon état second. Alice entre, je quitte la couleur, pose ma brosse dans le pot avec les autres pinceaux. Sans refermer la porte derrière elle, elle ouvre directement les fenêtres en se plaignant :

— C'est irrespirable ici, tu vas t'intoxiquer avec cette odeur !

Elle regarde les toiles alignées les unes à côté des autres, se déplace, les observe attentivement sous plusieurs angles.

— Tes personnages sont de plus en plus déformés…

Elle s'approche des Polaroïd que j'ai étalés par terre.

— C'est pour quoi ?

— Je vais faire un book, je vais démarcher des galeries pour des expos.

— Et ça marche comment quand tu trouves

une galerie, t'as un contrat, t'as des fiches de paye?

— Non, il n'y a pas de fiches de paye mais, normalement, la galerie te fait signer un contrat pour plusieurs saisons, et te paye le matériel avec une avance pour préparer l'expo.

— Ça serait vraiment bien si tu trouvais ça!

— Tu m'étonnes que j'aimerais bien, surtout que, là, c'est pas avec ce que je touche aux Assedics que je vais aller loin.

— T'as eu la réponse?

— Oui, c'est beaucoup moins que prévu.

— Ah…

Finalement, je n'ai pas tenu longtemps à la crêperie. Happée par la peinture, j'ai fini par oublier les horaires et mon patron a fini par me virer sur un coup de tête. Avec mes mois d'ancienneté, je savais que je pouvais vivre de mes Assedics quelque temps. La peinture m'a rappelé que je n'étais pas une peintre du dimanche. La couleur m'imposait un temps complet. Je l'ai définitivement compris quand j'ai essayé, juste après la crêperie, de travailler à mi-temps au McDo. Même ce travail ne m'a pas supportée. Me suis fait virer pour cause de retard.

En se posant sur le canapé, Alice me dévisage, fronce les sourcils en tendant l'oreille.

— Yasmine, tu respires d'une drôle de façon.

— C'est la clope…

— T'es sûre? C'est la première fois que tu fais du bruit comme ça.

— Mais oui, c'est la clope et la peinture, ça va passer. Mais au fait, t'es pas au boulot toi?

Avec un sourire radieux, elle m'annonce:

— Je viens de trouver une super place dans un petit restaurant africain dans la rue Marie-Stuart, c'est à cinq minutes, je bosse de 19 heures à 2 heures du mat et je suis la seule serveuse.

Elle élargit son sourire en ajoutant:

— Et je suis payée presque le double qu'à la crêperie.

— Bravo, tu commences quand?

— Demain. Tu verras, l'ambiance est vraiment bien.

Alice monte le son dès qu'elle entend un vieux morceau disco, j'acquiesce en marquant le rythme, ça me rappelle que j'ai dit à Benoît que je passerai à sa soirée. Dehors, un voisin casse l'ambiance, et hurle dans la cour:

— C'est pas fini ce bordel, on va appeler la police, on en a marre de votre musique tout le temps!

Alice ferme la fenêtre, je baisse le son en proposant:

— Viens, on sort, on va fêter ta nouvelle place dans une soirée.

— Quelle soirée?

— Benoît m'a invitée…

— Et?

— Quoi?

— Attends, tu me dis ça maintenant et jamais tu me parles de lui?

— Y a rien à dire, comme je t'ai dit, il est passé voir mes toiles, ensuite il m'a montré un magasin de peinture et puis on s'est quittés.

— Et depuis plus rien?

— Si, il vient de m'inviter.

— Sérieusement, tu vas me faire croire qu'il s'est jamais rien passé entre vous?

— Non, jamais, je t'ai dit, c'est juste un copain, on s'entend bien parce qu'on aime les mêmes trucs en peinture, voilà.

Alice tord la bouche, sourit, j'esquive son regard trop bavard et je prends ma veste en chassant l'idée d'une romance que je n'imagine pas du tout.

Lorsqu'on sort du minuscule ascenseur, la musique qui retentit à travers une porte nous indique la soirée de Benoît. On entre dans un deux-pièces, on se mêle à des gens aux genres différents pour se diriger où il y a le plus de monde, côté boissons, vers la cuisine. Alice me fait signe qu'elle doit passer aux toilettes pendant que je me faufile dans la foule. Je cherche du Coca au milieu des alcools, j'évite le regard prétentieux d'un mec qui ne me quitte pas des yeux. Trop tard, il m'accoste :

— Tu cherches quoi ?
— Coca.

Le mec me donne son joint, je le lui tiens pendant qu'il ouvre le frigo pour me donner une canette, le lui redonne avec un haussement de sourcil. Il semble étonné que je n'aie pas tiré dessus. Il m'en propose clairement, je secoue la tête de façon négative, lui montre ma canette.

— Ça va aller.
— C'est pas avec ça que tu vas décoller.

— Je ne supporte pas trop l'alcool.

— Et tu fais quoi de beau dans la vie, madame-je-ne-supporte-pas-l'alcool ?

— Je suis artiste.

— T'es dans la chanson, le cinéma ?

— Dans la peinture.

Il marque un temps, me détaille de haut en bas.

— J'aurais pas pensé… T'as franchement pas la tête d'une peintre.

Pas envie de lui répondre, trop fatigant, me détourne, sors de la cuisine, me fraye difficilement un passage, tombe nez à nez sur Benoît. Il me fixe droit dans les yeux. Pas le temps de parler, du monde se met entre nous, il prend ma main, me dirige vers une porte, on entre dans une salle de bain.

Assise sur le rebord de la baignoire face à Benoît, je le fixe dans un silence accompagné d'une musique assourdissante. Des cris de joie et d'excitation résonnent. Toujours à court de sujet, l'émotion nous envahit, nous gagne. De ses doigts Benoît dégage la mèche que j'ai devant les yeux. Très vite, le désir efface nos querelles passées. Guidés par une même envie, une même passion affamée, on s'embrasse à pleine bouche, nos langues chaudes et humides se mélangent machinalement. Il attrape ma nuque, glisse ses mains sous mon pull. Son désir se confond avec le mien. Je vire son tee-shirt, colle mes lèvres sur son torse pendant que ses mains se plaquent sur mes hanches, sa peau chaude, douce se mêle à la mienne, on se met à cogner à la porte de la salle de bain, on n'entend plus rien, c'est trop loin, trop occupés, partis dans nos envies grandissantes, on atterrit sur le carrelage dans une trépidation suffocante. Ça frappe toujours à la porte mais le vacarme ne nous arrête pas, seule la passion se déchaîne, respirations haletantes, plus rien n'existe autour de nous.

À plat ventre sur le lit, drap sur mes reins, je reste encore sous le coup de la surprise d'hier. Benoît ne m'avait pas dit que la crémaillère était chez lui. Ce matin, il est encore content de sa surprise. Adossé contre l'oreiller, avec un regard enjoué, il me demande :
— Il t'a pas fatiguée le mec avec qui tu parlais dans la cuisine ?

— Tu le connais ?

— C'est mon colocataire, il est super con.

— Et il doit être bien déprimant tous les jours…

En réajustant le drap sur ma poitrine, j'attrape mon mug vide, me lève, me ravise aussitôt quand j'entends du bruit dans l'autre pièce.

— Ton colocataire est là ?

— Oui, mais vas-y, t'es chez moi.

— Non, je n'ai pas envie de voir sa tête.

— Tu voulais quoi ?

— Reprendre du café.

— Fallait demander.

Benoît sort, j'en profite pour détailler sa chambre, je déambule sur le parquet vitrifié, ma tête se baisse vers un portant de fringues, mes yeux s'immobilisent sur deux toiles neuves de dos, visiblement cachées mais qui dépassent. Je retourne les tableaux vierges, spontanément je décoche un sourire. En plus de la crémaillère, Benoît m'avait caché qu'il comptait passer sur toile. Ses pas retentissent au loin, je reviens sur le lit, j'allume tranquillement une clope, récupère ma tasse en le fixant. D'un coup d'œil furtif, il note mon expression.

— C'est quoi ce regard moqueur ?

Je regarde en direction des toiles vierges, il tente de rester impassible, mais sa phrase le trahit.

— Eh oui, y a que les imbéciles qui changent pas d'avis.

— C'est bien, tu progresses, tu admets qu'on peut changer d'avis…

Il hausse les épaules, porte son mug à ses lèvres, me jette des coups d'œil fiers, boit une gorgée de son café, j'enfonce le clou :

— Mais tu n'as pas peur d'être… Comment tu dis déjà ? Incohérent avec l'art de la rue ?

— Attends, je vais pas faire du graff sur toile, je vais peindre un truc différent…

Il fronce les sourcils d'un air pensif.

— Mais bon, c'est pas si simple à trouver.

— Bon courage.

En guise de réponse, il dénoue le drap autour de ma poitrine, ses lèvres fines se posent sur ma peau mate, ses doigts fins et blancs se mêlent aux miens, il me prend la clope des mains, l'écrase, m'embrasse pour faire taire l'idée qu'il doit se lancer dans l'inconnu.

Alice me répète que l'ambiance est toujours aussi agréable le soir, la musique plutôt bonne, la clientèle d'origine, d'âge et de genre différents. Pas trop chic, ni trop décontracté, le style du restaurant est personnel, non communautaire, les Africains s'y mélangent aux Blancs, l'échange se sent dans l'atmosphère. En passant derrière le comptoir, Alice me sert un jus d'orange de son air espiègle, presque moqueur.

— Alors?

Je ne réponds pas, elle affiche un large sourire de gagnante en ajoutant:

— Je le savais.

— Tu savais rien du tout, ça s'est fait hier.

Elle ne semble pas me croire, je passe à autre chose, jette un œil autour de moi.

— Ça change radicalement de là où on était...

— Ouais... Au fait, cet aprèm j'ai croisé les voisins d'en face, ils m'ont demandé si j'habitais là, se sont plaints à cause du bruit.

— Du bruit? Mais on était pas là hier?

— Moi si. Mais ils ont l'air super chiants. Faudrait en parler à la femme de l'agence.

— Je lui en parlerai la prochaine fois que je paierai le loyer, mais de toute façon Rachel est au courant que t'habites là.

— Tu l'appelles Rachel ?

— Oui, et elle veut même que je la tutoie mais ça, ça me fait drôle.

— Malik est passé cet aprèm.

— Il est pas à la fac, lui ?

— Il avait pas cours…

Elle insère dans une machine la carte bleue qu'un homme lui tend, vérifie le montant, tape sur le clavier, le ticket sort, elle rend la carte, le ticket, remercie en prenant le pourboire, revient à moi.

— Et les galeristes, des nouvelles ?

— Pas terrible, j'ai l'impression que ma peinture intéresse personne, je trouverai jamais de galeriste. J'ai dû faire toutes les galeries de Paris, à chaque fois ça ne marche pas.

— Je suis pas experte mais je suis sûre que ça va arriver, faut que tu continues…

— Je sais pas…

Un homme, un quadra genre bobo à la peau noire, se pose au bar, Alice sourit.

— Yasmine, je te présente mon patron : Alain.

— Bonsoir.

— Bonsoir.

— C'est toi la peintre?

— Peintre… on va dire que j'essaie de l'être pour le moment…

— Comment ça, tu essayes? Alice m'a dit que tu peignais des tableaux.

— Oui, mais je veux dire que je serai plus à l'aise le jour où j'exposerai…

— T'as jamais exposé?

— C'est le parcours du combattant pour trouver une galerie, j'en ai tellement fait que j'y crois plus.

Alain gribouille un numéro de téléphone sur sa carte.

— Appelle cet homme, c'est un client et ami, il m'invite souvent à ses soirées, il organise des événements en tout genre, appelle-le de ma part, on sait jamais.

— Merci, c'est gentil!

Alain sourit, puis regarde un couple qui lui fait signe. Il se retourne sur Alice.

— Alice, vous pouvez y aller.

Dans un bureau dont les murs sont chargés de photos, peintures, figuratif, abstrait, assis sur un canapé rouge, un homme, la trentaine, brun, barbe mal rasée mais étudiée, habillé chic et décontracté, pose mon book d'une dizaine de pages sur une table basse en acquiesçant :

— C'est vrai, faut connaître du monde, être dans un circuit, sortir beaucoup si tu veux être visible.

Il touche les feuilles plastifiées.

— Les photos sont collées ?

— Non, vous pouvez les sortir.

L'homme sort les dix photos de tableaux.

— Bon, normalement, je suis complet pour l'expo collective que j'organise pour l'Unicef mais j'aime bien tes personnages, je peux placer quelques tableaux si ça t'intéresse.

— Oui, ça m'intéresse vraiment.

L'homme choisit quatre photos.

— Je prends les quatre.

Il les retourne pour lire au dos le format.

— En plus elles ne sont pas très grandes.

— Je peux vous les apporter quand vous voulez.

— Ce n'est pas la peine, viens directement le jour de l'accrochage, c'est à La Boule Noire à côté de La Cigale, c'est dans deux semaines, ça te va ?

— Parfait.

— Tu as de la chance, j'imprime les cartons demain, je vais pouvoir ajouter ton nom à la liste des artistes sur l'affiche et reproduire les quatre photos dans le catalogue.

Après avoir reposé les photos sur la table, il marque la fin du rendez-vous en se levant, je me laisse raccompagner en réalisant doucement ce qui m'arrive.

Dans la cage d'escalier, l'idée fait son chemin, suis encore étonnée que ça se soit passé aussi bien et surtout aussi simplement. Je n'y croyais franchement plus.

Déjà devant ma porte, pressée d'annoncer la nouvelle à Alice, j'empoigne mon vélo en gravissant les marches à toute vitesse. J'entre sans frapper et reste figée sur le pas de la porte. Ahurie, j'ai du mal à réaliser ce que je découvre : Alice et Malik sont sous la couette. Sans parler, je referme la porte.

Dans la rue, je m'installe à la terrasse du premier café que je trouve. Je cogite devant ma tasse. Alice m'a volé la vedette. C'est moi qui étais censée lui faire une surprise. Voir mon cousin et Alice ensemble me paraît encore improbable. À aucun moment je n'ai suspecté leur relation, ne me suis doutée de rien. Bien sûr, je savais qu'ils s'entendaient très bien, mais c'était de l'ordre de la camaraderie, de l'amitié. Je ressasse, revois toutes les images passées de cette entente, ne trouve aucun signe qui aurait pu me faire deviner qu'ils couchent ensemble. Voir mon cousin et ma copine de lycée dans le même lit me met dans une réalité que je dois désormais prendre en compte. Au bout du deuxième café, je me lève, il est temps d'aller les rejoindre.

Je n'ai pas vu Malik sortir. Il n'est plus là quand je rentre. Pas besoin d'aborder le sujet, Alice s'en charge. Ça l'amuse, elle me rappelle que moi non plus je ne lui ai rien dit sur ma relation avec Benoît. Depuis combien de temps ça dure ? Pas si longtemps. C'est à Paris qu'ils ont passé le pas. Je n'ai pas le temps d'en savoir plus qu'un cognement m'interrompt. Me retourne vers la porte, regarde Alice.

— T'as donné rendez-vous à quelqu'un ?

— Non, Malik est parti à la fac. Mais c'est peut-être Benoît ?

— Non, il bosse.

J'ouvre avec surprise à Rachel, souriante.

— J'étais dans le quartier, comme on devait se voir tout à l'heure, j'en ai profité pour passer maintenant…

Je bredouille :

— Vous… Tu as eu raison, entre, entre…

Elle se tourne vers Alice.

— Rachel, je te présente Alice.

— Bonjour.

— Bonjour.

Alice prend sa veste et son sac. Rachel demande :

— Je ne vous dérange pas j'espère, je ne fais que passer…

— Non, non, je devais aller faire des courses de toute façon.

— Au revoir.

— Au revoir.

Alice ferme la porte derrière elle, je sors l'enveloppe du loyer de mon sac, la lui donne.

— Tu veux boire quelque chose ?

— Non, c'est gentil, je suis mal garée et…

Ses yeux s'immobilisent sur mes tableaux.

— Ton amie est peintre?

— Non… C'est moi.

— Toi?

— Oui, c'est ce que je fais en vrai.

— Mais pourquoi tu m'as jamais dit?

— À cause d'ici, je me suis dit que serveuse c'était plus rassurant pour les fiches de paye.

Elle regarde encore l'ensemble des toiles.

— Je suis vexée!

— Vexée?

— Oui!

— Tu m'as prise pour ce que je ne suis pas.

— Non, c'est pas ça, mais comme je te connaissais pas bien.

— Mais tu as raison, c'est vrai, je ne t'ai jamais posé de questions sur toi non plus, on se connaît pas si bien que ça finalement…

Elle s'approche des toiles.

— Et depuis quand tu peins?

— Depuis que j'habite ici.

— Faudrait que tu exposes, je connais quelqu'un dans l'art.

— En fait, dans deux semaines je vais participer à ma première exposition collective. Si tu veux passer…

— Avec plaisir.

Elle regarde sa montre, range l'enveloppe dans son sac.

— Faut que j'y aille si je ne veux pas retrouver ma voiture à la fourrière, alors dans deux semaines au vernissage?

— Ok.

Avant de partir, Rachel jette à nouveau un œil sur les tableaux, puis acquiesce en souriant comme si elle ne revenait pas de sa surprise.

Dans la salle de concert transformée en lieu d'exposition, plusieurs panneaux montrent les peintures accrochées au profit de l'Unicef. Un peintre par panneau : les grands portent une dizaine de toiles, les petits, quatre toiles dont les miennes. Depuis mon stand, à travers le monde qui s'agglutine, j'aperçois le bar où Benoît, Alice et Malik discutent, un verre à la main. Je découvre avec surprise M. Arnaud. D'abord ravie de le revoir après plusieurs mois, je me mets la pression dès qu'il regarde mes toiles, son avis est crucial à mes yeux. Il ne dit rien, esquisse un signe pour marquer son salut, me montre l'invitation sur laquelle figure mon nom parmi les autres artistes.

— Félicitations, exposer pour l'Unicef, pour une première fois, c'est un bon début.

— Merci.

Il regarde mes toiles encore, puis alentour.

— En tout cas, je vous remercie de m'avoir invité, vos parents vont venir?

— Non, c'est compliqué…

— Vos parents ne vont pas venir alors.

Comme souvent, pour masquer cette absence, je parle de mon oncle et de ma tante.

— Vous savez, l'art pour eux c'est pas vraiment un métier, je préfère les inviter le jour où ça marchera pour moi.

— Vos parents vous prennent pour une marginale, une clocharde?

— Je sais pas mais si je continue comme ça, j'en serai pas loin… Plus sérieusement, je les comprends très bien, la vie n'est pas simple pour eux et puis l'image qu'ils ont d'une peintre, c'est pas vraiment celle d'une réussite et je ne peux pas leur donner tort, c'est vrai que c'est pas facile.

— Rien n'est facile, vous avez fait ce choix-là et ce n'est pas rien.

— Oui et je ne regrette pas…

Il regarde autour de lui, je le devance :

— Je sais pas si vous avez vu mais Benoît est là, il est au bar.

Il fait vite le rapprochement, me lance un regard complice quand il devine qu'on est ensemble et propose :

— Allons le voir.

— Je vous rejoins après, je dois faire un peu de présence devant mon stand.

— À tout de suite.

Tandis que je le regarde se fondre dans la foule, la voix de Rachel me surprend quand elle vient à moi en compagnie de sa fille et d'un garçon d'une vingtaine d'années.

— Yasmine, je te présente ma fille et mon fils, Marina et Lucas.

Ils me sourient timidement pendant que des gens viennent regarder mes tableaux, Rachel s'écarte en les regardant, puis s'approche pour me dire :

— Je te laisse, on sait jamais, c'est peut-être des futurs clients, on se voit après.

— D'accord. Vous avez des boissons au bar si vous avez soif.

plus fort que la mort, qu'il perdurera à travers les siècles.

tradition, rite/ritual

Achevé d'imprimer en février 2011
sur les presses de la Nouvelle Imprimerie Laballery
58500 Clamecy
Dépôt légal : février 2011
N° d'impression : 102080
Imprimé en France

— À tout à l'heure et…

Elle regarde en direction des gens.

— Bonne chance!

Je souris, la regarde s'éloigner avec ses enfants, me retourne sur les personnes qui détaillent mes toiles. Je m'apprête à venir vers eux quand les premiers mots que j'entends sur mon travail m'empêchent d'aller plus loin:

— Des fois, ils exposent vraiment n'importe quoi!

— Oui, t'as raison, j'y comprends rien.

Après avoir regardé les quatre tableaux, ils me jettent un œil indifférent, ne semblent pas comprendre que je suis l'artiste. Je n'ai pas le temps de souffler que deux hommes s'avancent à leur tour en disant:

— Qu'est-ce que c'est bizarre quand même.

— Oui, faut aimer, c'est vraiment spécial.

Ils s'en vont. Personne ne remarque que je suis l'artiste, ils parlent comme si je n'étais pas là. Me sens soudainement perdue dans le monde, un jeune homme en rajoute une couche après avoir examiné mes toiles, il repart en concluant:

— J'aime pas du tout!

Je n'en peux plus, j'inspire profondément. D'un coup, j'étouffe, je traverse la salle, je sors.

Après avoir pris l'air pendant quelques minutes, j'aperçois Alice venir à ma rencontre. En s'adossant au mur, elle allume sa clope, jette un œil sur l'affiche de l'expo.

— Je savais pas qu'il y avait une salle d'expo à La Boule Noire, c'est marrant d'être là pour autre chose que des concerts, y a beaucoup de monde. Pourquoi t'es pas devant ton stand ?

— Je sais pas, exposer, c'est pas comme j'imaginais.

— Quoi, t'es pas contente ?

Je déglutis, masque ma déception par un sourire tout en répondant :

— Si si...

— Allez, on y retourne, ils nous attendent, tu risques de rater des ventes...

Quand je reviens à La Boule Noire, un week-end plus tard, la salle est vide, la plupart des stands arborent des pastilles rouges : beaucoup ont vendu. Sans traîner, je décroche mes quatre tableaux, les emballe et les noue avec de la ficelle. L'organisateur, que je ne vois pas arriver, me demande :

— Alors, t'as aussi vendu des toiles ?

— Non, je crois que ça plaisait pas trop.

— Mais non, tu peux pas savoir, toutes les personnes qui étaient là ne t'ont pas donné leur avis et puis tu débutes. De toute façon, il faut que tu fasses plus de tableaux. Tiens-moi au courant quand tu en auras de nouveaux, je passerai te voir à ton atelier.

— Je n'ai pas d'atelier, je peins chez moi, dans mon studio.

— C'est important d'avoir un atelier.

— Je sais mais faut le trouver, et puis faut avoir les moyens. →

Il sort papier et stylo, inscrit un nom et une adresse, je lève la tête sur Benoît qui, depuis l'entrée, me fait signe qu'il m'attend dehors.

— Tu peux aller peindre vers la Porte de la Chapelle, c'est un hôtel en voie de démolition, mais ne t'inquiète pas, l'avis sera pas déclenché avant au moins deux ans, d'ici là, t'auras le temps de faire beaucoup de tableaux j'espère. Le propriétaire est arrangeant, comme il ne peut pas louer à des locataires, il loue souvent à des artistes.

Il me tend le papier avec l'adresse.

— Merci, vraiment.

— De rien, allez, bonne continuation.

Toiles sous le bras, je sors de La Boule Noire. Benoît me prend les tableaux quand j'allume une cigarette.

— J'ai entendu, c'est super, non ?

— J'espère que ça va marcher, j'irai voir tout à l'heure.

— Il t'a parlé du loyer ?

— Non et ça m'inquiète, j'espère que ça va être abordable, déjà que là je suis en fin de droit aux Assedics et que j'ai rien vendu…

— Attends, y a pas que toi qu'as pas vendu.

— Je crois que si. Sur la plupart des stands, il y avait une ou plusieurs pastilles rouges sous les toiles.

— Yasmine, t'as vu les tableaux ? En terme de créativité, on peut pas dire qu'ils prenaient des risques. Au moins toi, tu t'es démarquée, on aime ou on aime pas mais au moins tu

cherches la création. N'oublie pas ce qu'a dit
M. Arnaud : toujours créer, pas s'inspirer des
autres, ni copier, chercher la vérité, être soi
jusqu'au bout !

— Tu parles ! Je pense que M. Arnaud n'a pas
osé dire qu'il était déçu.

— Ça m'étonnerait, il m'a dit que c'était pro-
metteur et c'est pas le genre à dire ce qu'il
pense pas.

— Il a dit ça ?

— Oui, et tu sais comme il est exigeant.
Pendant que tu étais je sais pas où, on a parlé
de toi, il m'a raconté ton premier cours de
peinture, la première fois qu'il t'a vue peindre,
il était certain que tu peignais depuis des
années alors que c'était la première fois, c'est
pas vrai ?

— Oui, je me rappelle très bien.

— Il m'a dit aussi que les autres dans la classe
te détestaient parce que vous vous entendiez
bien.

— C'est vrai, j'adorais parler peinture avec lui.
Tout le monde était certain qu'on couchait
ensemble.

— Et ?

— Quoi ?

— T'as jamais été attirée ?

— Je crois qu'au début j'ai dû être un peu amoureuse de lui. ——>

Il change d'expression.

— Je sais pas si c'est une bonne idée que tu le revoies.

— Mais c'était juste un truc d'étudiante, d'admiration quoi… ——> M. Arnauld

Je le toise avec insistance, demande à mon tour :

— Et toi, pourquoi t'es ami avec lui ?

— C'est un ami de mon père, c'est lui qui m'a encouragé à faire de l'art.

— Tu vois, n'empêche que c'est un bon prof, il arrive bien à savoir ce qu'on veut et il croit en toi.

Mes yeux se fixent sur le boulevard, j'enfourche mon vélo.

— Je te laisse déposer mes toiles au studio, y a Alice et Malik, je vais aller voir l'atelier.

— Ok, à tout à l'heure.

Caché dans une ruelle donnant boulevard de la Chapelle, l'hôtel particulier est en bon état, il

doit dater du XVIIIe siècle. Le propriétaire me
le confirme alors que je regarde la chambre,
une sorte de suite avec papier peint fleuri,
moquette imprimé rose. Le propriétaire, la
cinquantaine, a un accent anglais prononcé. Il
ne s'étend pas, je vérifie les derniers détails :
— Je peux enlever la moquette ?
— Non.
Il me montre du bout de son doigt une partie
de la pièce.
— Vous pouvez juste rouler ce côté-là.
— Pour ce prix, je préférerais être à mon aise.
— Vous savez, le loyer est en dessous du prix
normal, si je le fais à ce prix-là c'est parce que
c'est non déclaré.
— Et on fait comment exactement pour le
loyer ?
— Vous me donnez l'argent en espèces chaque
début de mois.
— Et j'ai quoi comme garantie ?
— C'est mes conditions, c'est ça ou rien.
— D'accord, je peux l'avoir quand ?
— Dès que vous me donnez l'argent, vous vous
installez. J'ouvre tous les jours, de 9 heures à
22 heures.

— J'ai pas de clefs ?

— Non, vous venez quand c'est ouvert.

— Mais si je veux travailler la nuit ?

— Pas possible. C'est comme ça.

Je regarde la pièce une dernière fois.

— Bon, je repasse demain.

Après avoir quitté mon nouvel atelier, happée par mon nouveau quartier, je m'immerge dans ce monde éclectique. En écumant les trottoirs et les ruelles, je me laisse entraîner dans la masse de gens aux cultures mélangées. Une multitude d'odeurs, de sons, de langues m'inspire. De nouvelles couleurs, de nouvelles idées naissent, l'envie de créer de nouveaux tableaux s'impose.

Il fait déjà nuit quand je rentre au studio. Alice est au boulot, Benoît chez lui. En posant les yeux sur mes toiles, je réalise que je fais fausse route. Sur un coup de tête, je prends tous mes tableaux et les jette à la poubelle. Un nouveau départ : voilà ce qu'il me faut.

Je n'ai pas vu le temps passer. Depuis des semaines je suis enfermée dans cette chambre d'hôtel qui me sert désormais d'atelier. La couleur m'a embarquée dans un nouveau genre que j'explore sans limite. Désormais, je me laisse projeter dans des nuances que je maîtrise parfaitement. Mes toiles ont changé de format, deux mètres sur un mètre cinquante. Avoir radicalement changé de style me plonge dans des possibilités que je peux explorer sans appréhension. Instinctivement, j'ai rompu avec mon ancien genre, des lettres, en français, arabe, hébreu, chinois, russe, sanskrit et d'autres encore, ancrées dans leurs différences, ont remplacé le figuratif. La combinaison de ces lettres ne signifie rien, les mots sont mélangés, mais un langage commun les réunit tous. Ce mélange de lettres unies dans leur différence crée un langage universel. Cette idée me passionne. Maintenant, entourée de mes sept toiles grand format posées contre le mur ou couchées au sol, j'ai l'impression de m'enfoncer dans un mystère captivant.

Les bombes aérosol, les brosses, les pots d'acrylique sont éparpillés un peu partout. Un bruit dans le couloir attire mon attention, je relève la tête vers la porte. Benoît entre, son regard réprobateur me rappelle que je l'ai un peu délaissé ces derniers temps. Sans un mot, il contemple avec attention les nouveaux tableaux, les contourne en acquiesçant.

— Je comprends mieux pourquoi tu t'enfermes.

— Désolée de pas t'avoir rappelé…

— Ça va, je sais qui tu es, je sors pas avec une fille gouvernée par un romantisme à la con, et je suis bien content de ça.

Il pose ses mains sur ses hanches sans décrocher les yeux des toiles.

— Je me doutais bien que tu devais être à fond dans le travail, mais là je suis… vraiment étonné… C'est radical comme changement, et puis…

Il se baisse, s'approche de l'une des toiles.

— Les petites touches de couleur sur tous ces lettrages à la bombe, c'est comme des taches ou des flaques qui se mélangent… Ça fait cogiter, comment t'as fait pour avoir cette matière ?

Je perce une des bombes aérosol avec un tournevis, balance le liquide de la bombe sur la toile. Il fixe les longs bâtons dans les pots d'acrylique posés par terre.

— Et ça, ça te sert à quoi ?

— Je trempe un bâton dans le pot d'acrylique, dessine le contour des lettrages en faisant des écoulements.

— Ah, c'est avec ça les traits en relief, je ne comprenais pas… Yasmine, j'aime beaucoup, comme je suis fier de toi !

— Pourquoi, avant tu ne l'étais pas ?

— Mais si, tu sais bien, mais là ça n'a rien à voir, t'as vraiment rompu avec les influences qu'on pouvait encore sentir dans tes personnages, là y a comme une naissance, t'as pris une direction qui me plaît vraiment.

— Sérieux ?

— Franchement, là t'es partie très loin…

Il se baisse et regarde la signature dans le coin : Yasmine Belhifa.

— Et puis maintenant tu signes de ton vrai nom, c'est plus les initiales comme…

Il cherche des yeux les anciennes toiles.

— Elles sont où ?

— Je les ai jetées…

Il se relève d'un coup en me dévisageant, je

prends ma veste en me dirigeant vers la sortie.

— Viens, on va boire un verre en terrasse, j'ai besoin de prendre l'air.

in the place of death

À la place du mort dans la voiture de Rachel, je reste encore sidérée de ce qu'elle vient de m'annoncer. Je cherche désespérément à savoir d'où vient cette rumeur. Rachel tente de me rassurer :

— N'y pense plus, il a jeté la pétition et la lettre qui suivait à la poubelle, je t'ai dit, le propriétaire est un ami, et puis il n'était pas vraiment étonné, tu n'es pas la première, il y a déjà eu une pétition pour virer d'autres locataires, ceux qui sont dans ton bâtiment au quatrième.

— Le couple ?

— Oui, des voisins se sont plaints à cause de la mauvaise image qu'ils pouvaient donner, ils les trouvent trop excentriques.

— C'est n'importe quoi ! Mais c'est grave de faire une pétition pour dire que je me prostitue ! ✗

— C'est super con surtout, surtout quand on te voit…

— Merci de m'avoir prévenue.

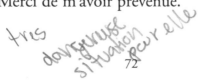

très dangereuse situation pour elle

72

— C'est normal et puis, je vais te dire, ce genre de bêtises, je me fais une joie de les régler. Ma meilleure amie, qui malheureusement n'est plus de ce monde, a eu ce genre de problèmes parce qu'elle vivait seule avec sa fille. Et puis moi aussi j'ai eu des ennuis, j'ai dû déménager avec mes enfants à cause d'une mauvaise réputation.

— Pourquoi ?

— Parce que mes deux enfants ont un père différent et que je vis seule. Comme tu le sais, ça n'a pas été simple de trouver un appartement.

— Moi qui pensais que c'était facile pour toi en étant dans l'immobilier.

— Non, comme on dit, c'est toujours les cordonniers les plus mal chaussés… Bon, ne pense plus à cette sale histoire, quand j'ai lu la lettre avec le propriétaire, on a ri jaune, on aurait dit une lettre de dénonciation, c'était pitoyable…

Elle regarde sa montre.

— Allez ma belle, je te laisse et surtout oublie ça.

— Merci, à bientôt.

Je sors de la voiture qui redémarre aussitôt derrière moi.

Alice est enfoncée dans le canapé, dans la pénombre, elle a le nez dans un magazine, je baisse le son, ouvre les rideaux.

— Qu'est-ce que tu fais dans le noir, t'es déprimée ou quoi?

Elle soupire:

— Si je continue à lire ces conneries, c'est sûr, je vais l'être.

Elle referme le magazine.

— Les horoscopes, c'est vraiment de la connerie, comment les gens peuvent lire ça?

— N'empêche que, ces conneries, tu les lis.

— Comme tout le monde, par habitude, je sais, c'est con.

Alice balance le magazine sur la table, je m'affale sur le canapé.

— Alors?

— Alors y a eu une pétition contre moi dans l'immeuble, ils voulaient me virer, on m'a traitée de prostituée, ils disent qu'il y a trop de bordel ici.

— Quoi? Mais c'est dégueulasse, c'est vraiment des ordures de faire ça, je suis sûre que ça vient de la voisine du troisième, j'ai bien remarqué comme elle déteste que son mari nous regarde.

— C'est aussi ce que m'a dit Rachel, heureusement que le propriétaire ne peut pas la saquer, il a jeté la lettre à la poubelle, de toute façon beaucoup n'avaient pas signé.

— Ils ont dû comprendre que ça venait de cette femme et son mari, ils font des histoires partout.

— En tout cas, Rachel m'a sortie d'une sale histoire, quand j'y pense, faire un truc pareil, c'est vraiment dingue, comme si j'avais trente-six mecs ici, et quand bien même...

— C'est peut-être le fait de me voir avec Malik quand t'es pas là, on fait peut-être trop de bruit...

— Ça va, ça résonne tellement ici que quoi que tu fasses on t'entend.

Je me lève, récupère mon sac. Alice me demande :

— Tu vas encore rester enfermée dans ton atelier ?

— Non, là j'ai rendez-vous avec une copine de l'organisateur, elle cherche des artistes pour une expo collective qu'elle est en train de préparer.

J'ai reçu la nouvelle il n'y a pas deux jours, ça s'est fait rapidement, l'organisateur a tenu sa parole, il est repassé voir mon travail à l'hôtel. Agréablement surpris par mon nouveau style, il m'a mise en relation avec une de ses amies, une organisatrice à la recherche d'artistes, il était certain que mon nouveau travail pouvait lui plaire. Il ne s'est pas trompé, quand elle est passée voir mes tableaux, elle n'a pas perdu de temps : elle a tout de suite pris cinq toiles en photo pour le catalogue.

— Je repasse avant que t'ailles bosser, tu seras là ?

— Je suis en repos aujourd'hui, j'attends Malik pour un ciné…

Je ne dis rien de sa relation avec mon cousin. Malik me renvoie au fait que je devrais passer plus souvent voir ses parents, comme je l'avais prévu. Je mets ça dans un coin de ma tête, j'attrape ma veste, claque la porte.

Devant la terrasse d'un café, j'avance en direction d'un groupe assis autour d'une table. Une fille, la trentaine, me fait signe quand elle m'aperçoit. Elle est au milieu de six hommes entre la vingtaine et la cinquantaine. Le groupe me détaille rapidement.

— Je vous présente Yasmine, elle va participer à l'exposition, son travail correspond bien à l'esprit de l'expo.

Je rabats ma capuche en arrière, mes cheveux s'ébouriffent, me tombent sur le visage, je dégage les mèches, mon agitation accapare les autres, je m'en aperçois quand je relève les yeux sur eux. Je m'assois sur une chaise que me présente la fille, brièvement je salue d'un signe de tête en allumant une cigarette. Le serveur me parle en même temps qu'un des gars assis à ma droite :

— Tu fais quoi ?

Je réponds au serveur puis au gars :

— Un jus d'orange. Des lettrages.

— T'es la seule à ne pas être dans le figuratif.

— Et toi ?

— De la sculpture.

J'acquiesce en sirotant mon verre quand l'organisatrice se retourne pour répondre à une question qu'un des autres gars lui pose. Les gens s'observent, cherchent à savoir qui pourrait coller avec qui. À part l'organisatrice, je note que je suis la seule fille du groupe.

Encouragée par le nouvel événement qu'est l'exposition, je regarde les cinq tableaux que l'organisatrice a choisis, m'assois sur le seul meuble qui trône dans l'atelier, un vieux fauteuil en skaï. Le temps passe très vite depuis que je suis là, à part le café d'en bas où je prends mes sandwichs et le supermarché Carrefour où j'achète mes pots de glycéro qui me défonce de plus en plus, je ne sors presque plus. Je ne sais pas si ce sont les odeurs envahissantes de la peinture, la clope ou l'état dans lequel je me retrouve quand je peins mais je suis de plus en plus absente. La réalité me quitte doucement, en permanence je suis plongée dans un néant qui me tire vers le bas. Je pourrais rester des heures sur ce fauteuil sans que ça me gêne. Mais des pas qui s'avancent dans le couloir me tirent de ma rêverie. Je pressens l'arrivée de Benoît, pourtant j'ai un doute sur la façon dont on frappe à la porte. En ouvrant, je suis étonnée de voir mon propriétaire.

— Je peux vous parler ?

— Entrez.

L'homme entre, le visage blême, il agite un papier devant moi. Je ne comprends pas, le loyer est déjà réglé.

— C'est pour le loyer ?

— Non, j'ai une très mauvaise nouvelle.

Il me montre le papier tandis que mon portable sonne, je ne décroche pas, tente d'en savoir plus :

— L'avis de démolition vient d'être déclenché, ce n'était vraiment pas prévu, mais vous devez quitter les lieux.

— Mais ça devait être dans deux ans, ça fait pas trois mois que je suis là !

— Moi non plus ça m'arrange pas, mais là tout le monde doit partir, moi aussi, c'est comme ça, je n'ai pas le choix.

Il n'ajoute rien et sort, me laissant sur cette nouvelle assommante.

En faisant rouler mon vélo aux côtés d'Alice, je sors la pile de flyers que l'organisatrice m'a proposé de distribuer pour l'expo. Son appel ne m'a pas fait oublier la mauvaise nouvelle, mais m'a rappelé que j'avais des projets. Alice me le confirme quand elle prend la pile en détaillant le visuel du flyer :

— C'est hyper chic le VIIIᵉ. L'organisatrice assure. Je vais en mettre à l'entrée du restaurant pour faire de la pub, t'as vu le lieu ?

— C'est énorme, c'est dans une grande salle.

Elle lit le flyer.

— Ça dure qu'une semaine ?

— C'est déjà pas mal.

— Il reste beaucoup de flyers, tu veux qu'on en distribue dans les cafés ?

— Oui mais pas maintenant, un des artistes avec qui j'expose m'a parlé d'une petite usine occupée par des artistes à Pantin, je vais essayer de rencontrer le propriétaire.

— Quoi, tu pars là, maintenant ?

— Oui, on sait jamais, si y a encore un truc de libre. À tout à l'heure.

Je remonte sur mon vélo sans la laisser répondre et tourne dans la rue.

Dans une zone industrielle, après avoir roulé pendant une bonne demi-heure sans relâche, essoufflée, je ralentis quand je reconnais le nom d'une rue notée sur mon papier. Je m'arrête devant deux énormes portes en taule ouvertes sur une grande cour qui donne sur une ancienne petite usine. Je regarde mon bout de papier, vérifie l'adresse, descends de mon vélo, entre dans la vaste cour, examine plusieurs entrées de bâtiments. Je frappe à la porte de certaines. Sans réponse, je me dirige vers le fond de la cour. Avec surprise, je remarque une entrée ouverte sur un hangar délabré mais inoccupé. Mes yeux se lèvent sur le premier étage, sous une verrière, dont les carreaux sont fissurés. Je retourne à l'entrée de la cour, frappe à une porte du côté des boîtes aux lettres. Un homme, la cinquantaine, en haut de survêtement et jean en toile, finit par sortir. Il ne décroche aucun sourire, affiche d'emblée une expression désagréable. Je tente de rester polie au maximum.

— Bonjour, je cherche le propriétaire.

— C'est moi.

— Ah bonjour, voilà, je suis peintre et on m'a parlé de…

— On est complet, désolé.

— Mais même…

— J'ai rien en ce moment.

Il va pour refermer la porte, j'insiste :

— En fait j'ai vu un truc là-bas.

Je lui montre le côté du hangar :

— Ça a l'air vide…

— C'est pas à louer ce côté-là. Au rez-de-chaussée on a stocké les vieilles machines et à l'étage y a trop de travaux à faire dans l'atelier, y a pas de chauffage et sous verrière c'est dur de chauffer.

— Les travaux, c'est pas grave, et puis je suis pas frileuse.

Il me regarde de haut en bas.

— Vous savez, ici, à part ma femme, y a pas de filles dans les ateliers.

— Les hommes ne me dérangent pas, et puis tant que j'ai un lieu pour peindre le reste m'est égal, je veux juste louer un endroit pour travailler.

— Si je vous le loue, les travaux sont à votre charge.

— Pas de problème.

Il sort, referme la porte derrière lui.

— Bon, puisque vous insistez, je vais vous faire visiter, mais vous allez sûrement changer d'avis en voyant de plus près.

Sous une belle lumière, j'entre dans mon nouvel atelier. Le lieu, spacieux, est d'une soixantaine de mètres carrés. Contre le mur, mes tableaux sont alignés. Je pose le gros sac que je traîne depuis le théâtre de Vitry, où je viens de réaliser une grande toile sans châssis de dix mètres de large sur cinq de haut. Un décor pour une pièce de théâtre. Le vent fait claquer une fenêtre dont les carreaux sont déjà fissurés, je n'ai pas le temps de la refermer qu'Alice entre, tournant la tête dans tous les sens.

— Désolée, je pensais pas mettre autant de temps en métro, c'est super loin où t'es maintenant!

— C'est pas grave, je viens d'arriver aussi.

Elle détaille l'atelier surplombé d'un éclat céleste.

— C'est vraiment grand, et puis t'as plein de lumière!

— J'en ai même trop, je suis obligée de retourner mes toiles, ça bouffe la couleur. Mais je vais pas me plaindre…

— Tu m'étonnes, ça n'a rien à voir avec la chambre d'hôtel sombre où t'étais, là t'as enfin un vrai atelier, dès qu'on entre dans l'usine, on voit que c'est un lieu fait pour l'art, c'est vraiment bien.

— J'ai eu de la chance sur ce coup.

Alice s'approche d'une petite pièce sans fenêtre.

— S'il y avait une fenêtre, tu pourrais faire ta chambre dans cette pièce.

— J'aimerais bien, mais je n'ai pas le droit de dormir là, le proprio est super tendu sur ce sujet, mais je vais peut-être faire casser le mur pour agrandir la pièce, il est ok pour ça.

Alice regarde mon gros sac dont les bombes aérosol dépassent.

— Tu reviens du théâtre ?

— Oui.

— Et avec ton expo, t'as eu d'autres plans ?

— Non, j'ai rien vendu, ce décor est le seul plan que j'ai tiré de l'expo.

— Et c'est bien payé un décor de théâtre ?

— Pas au théâtre de Vitry, ils ont pas trop d'argent.

— Mais ils t'ont payée ?

— Oui, c'est ça qui a payé le premier loyer de l'atelier.

— Et c'est quoi comme pièce de théâtre ?

— Un truc contemporain sur la fin du monde.

— T'as fait quoi comme décor ?

— J'ai mis des télés cassées avec de la ferraille autour comme si c'était une décharge, ça marchait bien avec la fresque, ils voulaient une ambiance vide, comme un lieu abandonné, alors j'ai pensé au terrain vague où j'ai graffé une fois.

— Et elle s'appelle comment la pièce ?

— *Où est passé le futur ?*

Elle affiche un air consterné.

— Ça a l'air super gai…

— Tu trouves aussi ?

— Bon, au moins t'as tiré un plan de l'expo.

— Oui, et puis je pense que c'est une bonne expérience de faire des décors.

— T'as mangé ?

— Non, on peut aller chez l'épicier et se prendre des trucs qu'on mange ici ?

En sortant de chez l'épicier avec des sacs plastique remplis de courses, Alice tourne la tête vers la périphérie, détaille le quartier bétonné, les rues assez vides, note que la zone industrielle est peu habitée. Elle fait quelques réflexions mais, très vite, je lui coupe la parole pour lui poser une question qui me préoccupe :

— Il embauche pas, ton patron ?

— Quoi, tu vas rebosser comme serveuse ?

— Si je veux garder l'atelier, je ne vais pas avoir le choix, c'est dur en ce moment, j'ai même plus de quoi acheter du matériel.

— Je peux t'avancer de l'argent.

— Non, ça va aller et puis ça va pas régler mon problème.

— Mais comment tu vas faire entre le travail, les allers retours entre la banlieue et Paris ? Il va te rester quoi comme temps pour peindre ?

— Je sais pas mais faut que je me débrouille… Alors tu peux demander à ton patron ?

— Je sais qu'il embauche pas, je suis la seule serveuse, et d'ailleurs j'espère qu'il va me garder parce que, certains soirs, c'est vraiment calme.

Je ne dis rien. On remonte la rue vers l'usine. Alice ne me quitte pas des yeux.

— Je voudrais pas être lourde avec ça, mais c'est de pire en pire ta respiration, on a fait quelques pas et t'es déjà essoufflée, tu veux pas aller voir le médecin ?

— Ça va, je suis juste un peu encombrée, ça va passer.

— Mais pourquoi tu veux pas y aller ?

— C'est jamais bon quand tu ressors de chez le médecin, t'as toujours de mauvaises nouvelles.

— Mais c'est le contraire, ils sont là pour te soigner, vraiment je te pensais plus courageuse que ça.

— Je ne suis pas parfaite.

Je clos la discussion sur un ton qui ne donne pas envie à Alice de continuer. Bien sûr, j'ai remarqué qu'il me manque de plus en plus d'air mais j'aime de mieux en mieux cet état qui me plonge à la limite de la vie. On entre dans la cour de l'usine sans revenir sur le sujet, le propriétaire me fait signe. Je laisse Alice derrière moi, me dirige vers lui.

— Vous commencez bien, on est en fin de mois et je n'ai pas reçu votre loyer.

— J'ai eu un soucis mais ne vous inquiétez pas, ça va arriver.

— J'espère, faut pas traîner avec ces choses-là.

Il me donne le courrier.

— Tenez, vous êtes invitée aux portes ouvertes.

— Il y a des portes ouvertes ici ?

— Oui, c'est dans un mois.

— Et y a du monde qui se déplace ?

— Ça marche de mieux en mieux, depuis que la Seine-Saint-Denis organise des portes ouvertes de plus en plus de gens viennent visiter les artistes, c'est deux fois par an pendant quatre jours… C'est un peu un événement ici.

Il plisse les yeux vers Alice qui attend à quelques mètres, puis revient à moi :

— Bon, n'oubliez pas, j'attends le loyer.

— Ne vous inquiétez pas, ça va arriver bientôt…

Alice hoche la tête quand le propriétaire entre chez lui :

— Tu lui dois beaucoup d'argent ?

— Pas mal, j'ai pas payé le loyer de ce mois-ci.

— Il a l'air super tendu.

— Il est raide avec l'argent mais il est pas méchant, je crois qu'il a vraiment galéré avec ça.

— Pourquoi ?

— C'est un ancien ouvrier, il bossait dans cette

même usine, qui a fermé pour licenciement économique. Quand le lieu est resté vide, il est allé voir le propriétaire pour lui parler de son projet de le louer à des artistes, et ça a marché. La plupart des gens ici sont des artistes et je crois qu'il y a aussi deux artisans.

Elle était passée en coup de vent à ma dernière expo, m'avait avoué qu'elle préférait les nouveaux tableaux, promis qu'elle me rappellerait pour me montrer sa dernière acquisition. Maintenant, sur une plateforme parquée sur le quai, avec fierté, Rachel me fait visiter la péniche en construction qu'elle vient d'acheter. Elle m'explique comment elle compte l'aménager pour y vivre prochainement. Sur les eaux de la Seine, le bateau tangue par moments, j'ai le cœur qui chavire un peu, surtout lorsque l'eau s'agite comme maintenant, à cause d'un bateau-mouche qui vient de passer trop rapidement. Le bruit de son passage me déconcentre, j'ai du mal à me focaliser sur ce que je m'étais promis de lui annoncer. Je finis par en dire le moins possible :

— Ne t'inquiète pas pour l'argent du loyer, ça va arriver, c'est l'affaire de quelques semaines, je vais régler ça vite, en même pas un mois l'argent sera là.

— Je te fais confiance, il sait être compréhensif avec le loyer, il peut attendre. Je ne savais pas que tu louais auparavant cette chambre d'hôtel et maintenant cet atelier, je me demandais justement comment tu faisais chez toi avec tous ces grands tableaux. Ton atelier est cher?

— Pas mal oui, mais c'est tellement mieux que celui que j'avais avant, là je peux bien travailler…

Je me dégage de la rampe, tente de faire diversion, regarde l'ampleur du lieu.

— Maintenant je comprends mieux pourquoi tu étais débordée ces derniers temps. Mais tu l'as achetée quand cette péniche?

— Je l'ai repérée depuis plusieurs mois mais j'ai dû négocier longtemps, l'affaire s'est conclue il y a quelques semaines. Pour le moment c'est plutôt une plateforme mais après les travaux la péniche aura de la gueule.

— Et tu vas arrêter complètement l'immobilier?

— Oui mais pas tout de suite, je me donne deux ans pour arrêter. Après vingt ans passés dans l'immobilier, j'ai très envie de me lancer dans la restauration.

— Et tu vas habiter dans le restaurant?

— Oui et avec mes enfants. Ils veulent absolument être de la partie. C'est très grand, en dessous il y a deux cents mètres carrés, je ferai un coin habitable à l'avant du bateau.

Elle se retourne pour me montrer.

— En plus, il y a deux cents mètres carrés en terrasse, le restaurant sera en dessous et dessus. Viens, je vais te faire visiter en bas.

On descend à l'arrière par de larges marches, je pense à la promesse que je lui ai faite, ne sais pas comment je vais régler mes dettes dans un mois, ne sais comment je vais tenir ma promesse...

Quand j'arrive devant la porte de mon atelier et que je vois Benoît accroupi, je me rappelle que j'ai oublié mon rendez-vous. Le temps mis à écumer les bars dans le quartier de Bastille pour trouver une place de serveuse m'a dépassée.

Devant son air vexé, je tente de m'excuser :

— J'ai pas vu l'heure, désolée.

— T'as l'air contente de me voir, ça fait plaisir.

— Non c'est pas toi, mais je cherche du boulot en ce moment et ça me déprime de voir que même pour être serveuse on veut pas de moi.

Benoît me détaille de haut en bas, puis rigole. Sans humour je réplique :

— J'ai dit quelque chose de drôle ?

— Yasmine, me dis pas que tu te présentes comme ça pour du travail ?

— Quoi, j'ai fait ce qu'il faut, je suis en robe courte, je suis maquillée, je suis en talons, je peux pas faire mieux là.

Benoît continue de rigoler en montrant mes fesses du doigt.

— T'as plein de taches de peinture partout !

J'entre et sautille vers la verrière où mon reflet, pas très net, apparaît suffisamment pour remarquer les grosses taches de peinture sur le bas de ma veste et de ma jupe. Maintenant, je sais pourquoi le patron du bar où je me suis présentée, ainsi que toutes les autres personnes, n'ont cessé de me regarder bizarrement.

— Effectivement, je comprends mieux pour-

quoi on me regardait comme une clocharde...
Faut que je me trouve un miroir ici.

Benoît regarde mes nouvelles toiles.

— En tout cas, ça te va bien la galère, je ne t'ai jamais vue aussi productive, ça me rappelle que j'ai toujours pas commencé à peindre sur toile...

Il s'approche d'une série de tableaux sur bois.

— T'as changé de support?

— Par la force des choses oui, plus de quoi acheter des toiles, mais je ne suis pas mécontente du résultat.

— Tu les as trouvées où ces planches? Ils sont super ces formats.

— Il y a un menuisier dans la cour, il me donne ses chutes.

— Super rendu... Allez, viens, t'as bien bossé, je t'invite chez le chinois, j'en ai repéré un sur le boulevard de la Villette.

Des billets plein les mains, j'ai l'impression de rêver quand je remercie le couple qui vient de m'acheter un tableau qu'il récupère, enchanté. À l'entrée de l'atelier, je salue un gars qui s'en va avec un autre de mes tableaux. Je viens de vendre mes premières toiles. Quelques personnes déambulent ici et là, elles contemplent les tableaux exposés à même le sol, contre le mur. D'autres gens entrent et sortent. Alice apparaît dans l'encadrement de la porte, elle salue les gens au passage, je me dirige vers elle pendant qu'elle suit des yeux le va-et-vient.

— Je pensais pas qu'il y aurait autant de monde, il est huit heures du soir et y a plein de gens partout dans l'usine… En plus t'as pas mal vendu ?

— Oui, et ça me fait trop bizarre qu'on achète mes tableaux…

— Peut-être que demain, pour ton dernier jour, t'auras plus rien !

— Non, faut être réaliste, j'ai vendu six tableaux sur une quarantaine de toiles, il en reste encore pas mal.

Benoît nous rejoint avec une bouteille d'eau à la main.

— Faut dire que tu les as vraiment vendus pas cher.

— Pour moi c'est beaucoup, surtout les deux grands que j'ai vendus plus cher qu'un SMIC.

— Pour toi c'est beaucoup mais pour les gens qui achètent c'est de bonnes affaires, ils viennent acheter directement dans les ateliers parce qu'ils savent que c'est moins cher sans les pourcentages des galeristes et je ne dis pas ça parce que je suis jaloux.

Il sourit, Alice poursuit :

— Tout à l'heure en arrivant, ça m'a bluffée le couple qui t'a fait plusieurs chèques pour acheter le tableau.

— T'as vu, ils étaient prêts à se serrer la ceinture pour de l'art, c'est pas beau ça ? Tu vois, ça prouve bien que les gens sont pas des ignorants, ils aiment l'art. Regarde, les gens qui ont acheté venaient de différents milieux, étudiant, menuisier, gens qui bossent dans la pub, à l'usine, profs, j'ai vu presque de tout… C'est pour ça que j'aime l'art, ça touche tout le monde.

Alice regarde un couple quinquagénaire dans le fond de l'atelier devant une toile de un mètre sur un mètre cinquante, ils me font signe, je vais vers eux, pas loin Rachel me salue, je lui fais comprendre que je la rejoins en bas. Je termine avec les gens, puis cours la rejoindre.

Dehors, Rachel m'attend dans sa voiture, je lui donne l'enveloppe du loyer. Elle ouvre son sac et prend un stylo et un papier.

— Faut pas que j'oublie cette fois…

Elle gribouille une adresse.

— J'ai discuté avec l'ami dont je t'ai parlé une fois, celui qui travaille dans l'art, je pensais venir avec lui mais il est en voyage, il sera rentré la semaine prochaine, il sait qui tu es.

Je lis l'adresse.

— Il habite dans les jardins du Palais-Royal ?

— Oui, il habite au-dessus de sa galerie.

— Je savais pas que c'était un galeriste que tu voulais me présenter.

— Je t'en ai plus reparlé à cause des soucis que j'avais ces derniers mois avec la péniche mais je t'avais dit que j'avais un ami qui bossait dans l'art.

Rachel démarre.

— J'espère que ça va lui plaire, il est assez exigeant.

Elle met ses lunettes noires.

— Appelle-moi pour me dire.

— Très bien. À bientôt et merci !

Sous les arcades du jardin du Palais-Royal, à travers la porte vitrée d'une galerie, je découvre un homme, la cinquantaine, crâne dégarni, rondouillet, sympathique. Dès que j'entre, d'une poignée ferme, chaude et familière, il m'accueille par mon prénom.

— Yasmine ?

Je m'incline, lui serre la main, réponds à son sourire.

— Bonjour, je suis Charles Galois.

— Bonjour, Yasmine Belhifa, Rachel m'a dit que…

— Oui, oui, elle m'a parlé de vous, je vous attendais.

Je ne perds pas de temps, je sors mon portable, qui a remplacé mon book désormais, et lui présente d'entrée mon travail.

— Mes dernières toiles sont dessus, je n'ai pas eu le temps d'imprimer des photos mais on se rend bien compte quand c'est filmé.

Je lui donne le portable, il me propose un siège, je m'assois à ses côtés pendant qu'il fait défiler les photos et les films tranquillement. Mon regard se perd dans la lumière de la galerie, le reflet du soleil scintille sur le parquet, éclaire de surcroît les murs déjà blancs. Je n'ai pas le temps de m'imaginer exposer ici que Charles m'extirpe de mes pensées en me rendant mon portable.

— Rachel a eu raison, j'aime bien vos tableaux, et puis je pense que votre travail peut surprendre en plein cœur du Palais-Royal, ça peut être intéressant. Je peux les voir quand en vrai, afin de les choisir?

— Quand vous voulez, mon atelier est à Pantin.

— J'ai quelques heures de libres devant moi, si c'est possible, je passe en voiture…

— Ok, on peut faire ça maintenant.

— Très bien.

Il se lève et ajoute:

— Rachel m'a dit que les portes ouvertes se sont bien passées?

— Oui, c'était vraiment une bonne surprise.

Il acquiesce, fait quelques pas.

— Je vais chercher un contrat.

Dans le fond de la galerie, je n'avais pas remarqué l'escalier escargot qu'il gravit machinalement, je m'attarde sur les tableaux accrochés au mur, j'ai à peine le temps de les contempler que Charles redescend aussitôt, un contrat à la main.

— Pour commencer, je vais vous faire un contrat pour une seule expo et je prends 50 % sur les ventes. Puis si ça se passe bien, je renouvelle le contrat pour plusieurs saisons, et on participera aux foires d'art.

— D'accord.

Je prends le stylo, parcours vite fait le contrat de deux pages. Suis tellement contente que je le lis à peine, directement je paraphe chaque page.

— Voilà.

Charles récupère le contrat, signe à son tour, me donne un exemplaire. Je le mets dans mon sac.

— Merci monsieur Galois.

Charles me raccompagne à la porte.

— Appelle-moi Charles, je crois qu'on peut se tutoyer maintenant.

— On peut, oui.

Il regarde mon vélo devant la galerie.

— Je peux mettre le vélo dans la voiture?

— Non, je vais rouler, j'ai l'habitude.

— Très bien, alors à dans une heure à ton atelier?

— Ok, à tout de suite. Et encore merci surtout!

Du Palais-Royal à Pantin, je n'ai pas vu le temps passer, je ne sais pas comment j'ai fait pour rouler aussi vite, mais quand j'arrive à l'atelier Charles n'est pas encore là. Tranquillement, mes yeux font le va-et-vient entre fenêtres, cour et entrée. Finalement c'est par la porte qu'il apparaît. En faisant coulisser la porte restée entrouverte, je me retourne sur Charles qui ne perd pas une minute. D'un coup d'œil il parcourt la trentaine de tableaux, s'approche des toiles et des séries petit format peintes sur bois. Attentivement il les observe les unes après les autres, puis se place au milieu de l'atelier en montrant du doigt celles qu'il choisit :

— Je vais en prendre une vingtaine…

Je ne dis rien. C'est énorme, je le laisse continuer.

— Dans la semaine, tu es là ?

— Oui.

— Je vais envoyer quelqu'un pour les récupérer avec un camion, puis je vais faire imprimer les cartons d'invitation. L'accrochage se fera dans quelques jours.

— Ah bon ?

— Oui. L'artiste que j'expose actuellement va décrocher, on va mettre tes toiles en attendant, c'est bien qu'on commence à les voir quinze jours avant.

Après avoir examiné chaque toile sélectionnée par ses soins, il se retourne franchement vers moi :

— Je vais aussi préparer un dîner samedi prochain, je vais te présenter à des gens. Tu seras libre ?

— Je serai libre.

— Tu ne seras pas trop seule, il y aura Rachel. On sera huit, dont des acheteurs potentiels.

— Ça me rassure d'être avec vous et votre amie Rachel, je ne suis pas très bavarde en public.

— Ça va bien se passer... Tu sais, en fait, je connais Rachel depuis peu, je l'ai rencontrée par l'intermédiaire de ma meilleure amie qui n'est malheureusement plus de ce monde. Sa disparition nous a rapprochés, depuis qu'elle nous a quittés, il y a un an, on est restés souvent en contact.

J'acquiesce sans rien dire, il poursuit aussitôt :

— Bon, je vais y aller, je t'appelle très vite de toute façon.

En réalisant à peine la rapidité avec laquelle les choses se sont déroulées, je reste sans mots pour le raccompagner à l'entrée. Je tente de passer en revue les événements des trois dernières heures. Doucement, je reprends mes esprits : je vais enfin faire ma première exposition personnelle en plein cœur du Palais-Royal.

C'est vrai, je ne viens pas chaque week-end comme je l'avais prévu. C'est vrai aussi que l'envie ne m'a pas transcendée. L'idée de rendre des comptes sur ma vie qu'ils désapprouvent m'a démotivée. Maintenant, à travers les coups d'œil réprobateurs de mon oncle et de ma tante, je sens qu'ils n'osent plus me sermonner comme ils le faisaient auparavant. Depuis que je vis à Paris, je ne parle jamais de mon travail. Malik se charge de donner des nouvelles. Qu'il soit régulièrement chez moi ne rassure pas ses parents, l'idée que je pourrais l'influencer et qu'il se lance dans l'art les taraude, ils sont loin de se douter que c'est pour les beaux yeux d'Alice qu'il est souvent absent. À table, Malik reprend ses habitudes, il survole la vie : le voisinage, les actualités… Entre la salade de poivrons cuits et l'odeur de la chorba, l'ambiance est tendue. Mon oncle rompt la conversation pour aborder un sujet jusque-là jamais abordé.

— Alors t'as un atelier maintenant ?

Très vite, je discerne que Malik a encore trop parlé, je jette un œil sur lui, il regarde ailleurs, prend du pain en m'évitant, je réponds brièvement :

— Oui.

— Ça veut dire que t'as deux loyers à payer ?

Je trempe la louche dans la chorba, dépose la soupe dans mon assiette en tentant d'en dire le moins possible, je sais qu'il ne va pas me louper.

— Oui.

— Mais tu l'as depuis quand cet atelier ?

— Trois mois, et j'ai vendu sept tableaux.

Ma tante lui lance un regard inquisiteur, il pose sa fourchette sur son assiette vide, allume une clope avec une expression désespérée.

— Alors tu le fais vraiment…

Ma tante ajoute :

— T'as vendu, ça veut dire que t'as fait une exposition ?

— C'était des portes ouvertes d'ateliers, pas vraiment une exposition, là où je suis il y a beaucoup d'artistes, mais j'ai déjà fait deux expositions collectives et…

Le jour de l'accrochage à la galerie de Charles, j'ai éprouvé une véritable sensation de plaisir en découvrant le carton d'invitation. Voir une de mes peintures avec mes vrais nom et prénom inscrits sur le carton m'a donné l'impression d'exister enfin. Immédiatement j'ai pensé à ma tante et à mon oncle, je pouvais enfin leur montrer que c'était possible, j'avais la preuve que le défi avait été relevé, il fallait qu'ils soient présents le jour du vernissage pour voir ça.

De la poche de ma veste, je sors le carton d'invitation et le pose sur la table en poursuivant :

— En fait, je vais faire ma première exposition dans une galerie et je voulais vous inviter.

Le carton passe dans les mains de mon oncle, puis de ma tante. Malik écarquille les yeux, traduisant une véritable surprise. Même s'ils étaient au courant, ni lui, ni Alice, ni Benoît n'ont vu le carton. Avec attention, mon oncle et ma tante détaillent l'invitation, ils échangent un bref regard, puis mon oncle allume une nouvelle cigarette en ajoutant :

— T'as un contrat ? C'est sérieux ?

— J'ai un contrat.

D'une longue aspiration, il tire sur sa clope, poursuit tout en ne décrochant pas ses yeux du carton :

— Et t'es payée combien ?

— Ça marche pas comme ça, d'abord faut que les gens que le galeriste invite voient mes tableaux exposés, puis après, s'ils décident de les acheter, je serai payée par mon galeriste.

— Alors c'est pas sûr que ça marche ?

Ma tante ajoute :

— T'as pas de garantie ?

— Non, c'est comme ça l'art. Et puis de toute façon, maintenant avec le chômage, les garanties, ça veut plus rien dire.

Je regarde ma tante en poursuivant :

— Non, c'est vrai, y a plus de garantie nulle part, que tu sois salarié, en CDI ou fonctionnaire, maintenant tu te fais licencier du jour au lendemain ! Alors ça ou être artiste, moi j'ai fait mon choix.

Mon oncle ne dit rien, il écrase sa clope consommée jusqu'au mégot, je les relance :

— Alors, vous allez venir ?

Ils se concertent un court moment. Mon oncle répond :

— On viendra quand t'auras vraiment réussi pour de vrai, quand ça sera sérieux.

Je les dévisage, Malik se focalise sur son assiette pour éviter d'entrer dans la conversation. L'idée qu'ils ne veuillent pas voir mes tableaux m'insupporte. J'inspire, tente de rester calme. Je cherche une solution, tout à coup je pense au mur que je dois abattre dans l'atelier. Mon oncle travaillant dans le bâtiment, je lance une dernière perche :

— Dans mon atelier il y a un mur que j'aimerais abattre, je sais pas s'il est porteur, je me demandais si tu pouvais m'aider. *→ load bearing wall*

Sans surprise, il me toise de côté, reste quelques secondes dans le silence, puis me répond sereinement :

— C'est où ?

— C'est à Pantin.

— Tu veux que je vienne quand ?

Complètement déstabilisée par son changement d'attitude, je ne me démonte pas et avec calme je poursuis :

— Quand tu peux.

Il regarde la date de l'exposition, puis ajoute :

— Je passerai samedi prochain, après ton exposition.

Je clos la discussion par un clignement des yeux en me demandant si mon oncle est sournois, pervers ou simplement maladroit.

À plusieurs reprises, je tente de retenir le nom des invités. Les mains sur les accoudoirs de mon fauteuil, autour d'une large table nappée de rouge, j'ai déjà repéré M. et Mme Feuret, acheteurs potentiels, Sélim et son copain Serge, deux galeristes trentenaires également acheteurs potentiels, en face d'eux Mme et M. Demoix, la soixantaine, tous deux magistrats, et sur ma gauche un couple de quinquagénaires, M. Guerin, l'architecte de la Banque de France, et sa femme. Charles et Rachel sont à mes côtés. Tous semblent se connaître, ils prennent des nouvelles les uns des autres. Je découvre Charles en mondain maniéré mais classe. Au bout d'une heure, les premières questions arrivent. M. Feuret commence :

— Je me demandais quelles ont été vos influences?

— Un peu tout: les surréalistes, le pop art, la vidéo, les installations…

Je n'ai pas le temps de continuer que sa femme me coupe:

— Moi je n'ai jamais rien compris au surréalisme, je n'ai pas compris pourquoi Picasso avait créé ce mouvement.

Son mari la contredit:

— Même si Picasso s'est rapproché du mouvement, ce n'est pas lui qui l'a créé, c'est plutôt Breton, Duchamp et…

Sa femme continue:

— Oui, c'est pareil, il était dedans. En tout cas, moi je préfère Georges Braque, le créateur de l'impressionnisme.

Son mari revient à la charge, ma tête fait des allers retours entre eux:

— C'est vrai qu'à ses débuts il a été attiré par l'impressionnisme, mais Georges Braque s'est plutôt révélé dans le cubisme, c'est plutôt Manet ou Renoir qui sont les premiers à…

Sa femme insiste:

— Non, je pense que c'est lui qui a créé l'impressionnisme, je ne pense pas que Braque ait été cubiste, ni Picasso d'ailleurs...

Son mari persiste.

— Mais comme Braque, Picasso était aussi cubiste...

Définitivement j'abandonne l'idée de répondre, la conversation entre M. et Mme Feuret devient un bruit de fond, personne ne les contrarie, Rachel grimace, elle semble bien les connaître, elle les trouve chiants, ennuyeux, prétentieux, elle finit par me le dire dans le creux de l'oreille, Charles le confirme. Il me confie à voix basse :

— Ils sont fatigants, à chaque fois c'est le même cirque avec eux, ils veulent toujours montrer qu'ils s'y connaissent en art.

Il inspire.

— Mais ils achètent beaucoup, ils ne savent pas quoi faire de leur argent, ils sont trop riches, alors on est obligés de les voir.

Charles me désigne des yeux Sélim et son copain.

— Sélim va bientôt ouvrir sa galerie, en ce moment il tient la galerie d'un de mes voisins, en face.

Il s'arrête de parler quand la cuisinière entre

pour débarrasser la table, il se lève et, s'adressant à tout le monde :

— Et si on passait au salon pour le café ?

Sous les arcades du jardin du Palais-Royal, il y a du monde, les gens sortent de la galerie pour venir y fumer. Sur une grande table, jus d'orange, eau plate, pétillante, vin rouge, blanc, champagne sont alignés sur une nappe blanche. Un serveur a été embauché pour l'événement. « Charles a fait les choses en grand », me répète Benoît en arrivant avec M. Arnaud. Il jette un œil sur lui quand Charles se dirige vers nous avec M. et Mme Feuret, que je salue. Charles m'annonce :

— Yasmine, M. et Mme Feuret viennent de réserver un tableau.

J'ai à peine le temps de remercier le couple que M. Feuret me demande :

— Avec ma femme nous sommes tombés d'accord sur ce fait : vous faites des lettrages parce que la représentation physique est interdite chez les Arabes, c'est bien ça ?

Je jette un œil rapide sur M. Arnaud et Benoît,

m'apprête à répondre mais Mme Feuret me devance :

— Oui, les musulmans n'ont pas le droit de peindre des nus. La nudité est un problème chez eux.

Je tente de les éclairer :

— J'ai déjà vu des nus réalisés par des artistes arabes et, pour ma part, j'ai reçu une éducation musulmane mais on ne m'a jamais interdit de dessiner des nus.

M. Arnaud ajoute :

— Et des nus, Yasmine en a dessiné pendant des années.

Il sourit.

— J'ai été son professeur.

M. Feuret écarquille les yeux en questionnant :

— Mais pourquoi vous faites des lettrages alors ?

Envie de lui rappeler la richesse d'une culture que visiblement ils ne connaissent pas. Pas envie de comprendre pourquoi ils ne veulent pas m'intégrer dans leur paysage. Oui, mon origine est arabe. Non, tous les Arabes ne sont pas des poseurs de bombes. Mais je ne dis rien. Je ne trouve pas de réponse à cette drôle de question, M. Arnaud non plus, personne n'ose ajouter autre chose. Dans ce silence, Mme et M. Feuret s'échangent des regards perdus puis, faute d'argument, Charles leur propose un verre, ils s'éloignent. M. Arnaud et Benoît font quelques blagues à propos de la conversation précédente, j'aperçois Alice qui entre, je la rejoins parmi une foule de plus en plus dense. Elle regarde la liste des prix des tableaux.

— J'en reviens pas…

— T'as vu ça, moi aussi la première fois que j'ai vu les prix j'ai eu peur, j'ai cru qu'il s'était trompé, mais comme Charles a rien dit, j'ai compris que ça se passait comme ça ici.

Charles revient dans ma direction :

— Yasmine, M. Guerin, l'architecte, voudrait passer une commande pour la Banque de France, il aimerait que tu réalises deux tableaux en partant de celui qu'il vient de réserver, tu sais, celui qui est en vitrine, le n°5.

Alice va rejoindre Benoît qui parle avec Alain dans le fond de la salle. Je ne peux imaginer deux fois la même toile, je reste sans mots. M. Guerin le remarque :

— Ce n'est pas possible ?

— Il est impossible de peindre deux fois le même tableau, chaque toile est unique, mais, si ça vous va, je peux reprendre le principe et développer le sujet.

— Très bien, vous pensez en avoir pour combien de temps ?

— Je sais pas exactement, ça dépend de comment j'avance.

— Bon, je vous laisse voir.

Il se retourne vers Charles :

— Je vois avec vous pour régler le premier tableau ?

— Oui, suivez-moi.

Je les laisse partir, malgré moi je fouille l'espace, désespérément je cherche deux présences familières, mon regard effleure les invités, puis Benoît, M. Arnaud, Alice. Je m'arrête sur Malik, qui me fixe, il tord la bouche, devine qu'au fond de moi j'avais un léger espoir d'un revirement de situation. Mais mon oncle et ma tante ont tenu parole, ils ne viendront pas.

Devant le médecin, je tente de me remémorer le début de ma descente aux enfers. C'est arrivé après mon exposition, je venais de livrer la commande, l'architecte de la Banque de France était ravi, tout le monde semblait content, j'étais censée l'être aussi en quittant la galerie, mais la question de l'architecte au sujet de mes parents m'a mise pour la première fois mal à l'aise. Il voulait savoir s'ils étaient fiers de mon travail et je n'ai su quoi répondre lorsque le regard de Charles s'est posé sur moi. Je pensais lui présenter mon oncle et ma tante au vernissage, je devais, comme toujours, les faire passer pour mes parents, mais leur absence a laissé une marque indélébile. Ils n'étaient pas venus, et Charles l'avait remarqué. Même s'il n'a fait aucune réflexion, à ce moment précis je me suis sentie démasquée, me suis sentie seule pour la première fois de ma vie. Charles a changé de sujet, a compris mon embarras.

En sortant de la galerie, j'ai enfourché mon vélo et roulé très vite, la vitesse m'a emportée, pour la première fois je me suis demandé dans quelles conditions mes parents avaient eu leur accident de voiture. Par fragments, des images de collisions me traversaient. Où étaient-ils en Algérie quand c'est arrivé? Sur l'autoroute?

Une nationale ? En pleine ville ? Même ça je ne le savais pas.

Un grand vide est apparu face aux réponses que je n'avais pas, l'air a commencé à sérieusement me manquer sur le boulevard périphérique de la Villette. C'est arrivé sans prévenir, sur la route, les klaxons derrière moi ont commencé à sonner, le vacarme des voix a retenti dans tous les sens, coincée entre les voitures, mon souffle s'est accéléré, ma respiration s'est limitée, la panique m'a gouvernée, me suis retrouvée sans conscience sur le bord de la route. Je ne savais plus si on m'avait renversée, mon vélo était à terre, l'air ne venait toujours pas, ma respiration n'allait pas jusqu'au bout, j'étais passée de l'autre côté de la rambarde. Doucement je me suis relevée pour tournoyer quelques secondes. Ma respiration m'inquiétait, elle n'avait jamais été aussi bruyante. Puis, lentement, pendant que mes yeux balayaient le va-et-vient des voitures, mon souffle est revenu doucement et j'ai compris qu'un ange était passé non loin de moi. Progressivement, ma conscience a émergé, mes réflexes m'avaient guidée sur le bord de la route, aucune voiture ne m'avait éjectée, ma respiration est redevenue régulière.

Je relève la tête lorsque le médecin finit par sortir une ordonnance. Il m'affirme :
— Vous avez fait une crise d'asthme aiguë. Vous auriez dû venir me voir depuis longtemps. Ça a débuté quand ?
— Il y a plus d'un an, quand j'ai commencé à fumer et à peindre dans mon studio.
— Ah ! Vous fumez en plus !
J'acquiesce, pas fière.
— Vous peignez avec quoi ?
— Acrylique, glycéro, bombes aérosol, j'utilise aussi des vernis.
— Sans masque ?
— Oui.
— Et à quel moment avez-vous eu la première sensation d'étouffement ?
— Depuis mes sept ans mais ça m'arrivait très rarement, c'est depuis que j'habite à Paris que ça s'est aggravé.
— Vous avez des antécédents dans votre famille ?

— Non, je pense pas. C'est grave ?

— Oui, et si vous ne faites rien, ça peut devenir vraiment très grave. Vous êtes à un stade avancé, vous allez suivre un traitement puis on va faire des tests pour savoir si vous avez des allergies, si ce n'est pas dû à la peinture. Vous manipulez des produits chimiques.

— Mais je suis peintre, je suis obligée d'en manipuler. Comment voulez-vous que je fasse ?

— Vous n'avez plus le choix, et puis il y a d'autres façons de peindre, vous pouvez utiliser la peinture à l'huile ou les pigments naturels.

— Mais je n'aurai jamais le même résultat, ça ne donne pas les matières que je recherche.

— Ça, c'est vous qui voyez, moi c'est tout ce que je peux vous dire, et puis la vie est plus importante que l'art, non ?

Je le dévisage. Je médite sa phrase quelques secondes, je n'en suis plus sûre. Je reviens à lui quand il ajoute :

— Mais si ça se trouve, c'est autre chose, la cigarette par exemple, ou le vélo, avec la pollution ce n'est pas conseillé. On verra avec les tests. Tenez.

Sans trouver de réponse, je prends l'ordonnance qu'il me tend.

— Prenez votre traitement tous les jours, en cas de crise respirez la bombonne et pas de surmenage, l'angoisse n'aide pas à soigner, apprenez à maîtriser votre respiration et revenez me voir dans un mois avec les résultats.

Première fois qu'il met les pieds dans mon univers, première fois qu'il va voir mes tableaux. Avec appréhension, mon oncle entre dans l'atelier, il porte un gros sac d'outils, je lui montre une cafetière électrique.

— Tu veux boire un café ?

— Non, ça va…

Il regarde le mur au fond de la pièce.

— C'est ça ?

J'acquiesce, il examine aussitôt la cloison à abattre. Je ne sais pas pourquoi, il n'est pas très à l'aise, il reste concentré sur le mur, il tapote dessus en disant :

— J'espère que c'est pas un mur porteur, faut vérifier.

Avec un crayon et une règle en forme de T, il

trace un carré au milieu du mur en ne cessant de
jeter des coups d'œil sur les tableaux retournés,
qu'il n'a jamais vus.

— Tu veux voir mes tableaux ?

Tout de suite il s'arrête, hoche la tête, pose son
marteau. Avec une grande curiosité, il regarde
mes tableaux que je retourne un par un. Il ne
rate pas un détail, finit par s'asseoir quand il a
tout vu. Il cherche ses mots, la réflexion l'envahit un bon moment mais ça ne vient pas, son
visage se durcit, son corps se raidit, il se lève,
récupère son marteau et se remet au travail. Il
frappe sur le mur, des bouts de plâtre en tombent, il frappe encore puis s'arrête.

— Mais c'est quoi la garantie que ça marche ?

— Tu sais, faire de l'art c'est prendre ce risque,
faut bien essayer pour voir comment ça se passe.

— Et si ça marche pas, qu'est-ce que tu vas
faire après ?

— Pour le moment, les choses se mettent en
place, je peux pas penser que ça marchera pas,
je dois encore travailler.

Il se détourne et frappe plusieurs fois avec le
marteau sur la cloison, son visage se ferme
clairement. De plus gros morceaux de plâtre

tombent, il frappe encore très fort quand sou-
dain il découvre des briques.

— Le mur est porteur, on peut pas le casser,
c'est lui qui tient le bâtiment.

Je reste quelques secondes sans rien dire, cette
pièce restera donc sans lumière. Cette idée m'est
insupportable, je n'en peux plus de rester dans
le noir. Je réplique :

— Alors c'est pas possible ?

— À la limite, je peux faire une ouverture pour
laisser passer la lumière.

Je confirme, il fait tomber les briques, une
dizaine, une ouverture se crée, la lumière entre
enfin.

— Voilà, c'est tout ce que je peux faire.

— C'est déjà bien, je vais pouvoir me servir
de la pièce maintenant, je ne serai plus dans
le noir.

Il jette un regard sur mes tableaux, se rassoit,
souffle de façon désespérée.

— Je sais que tu penses que je connais rien à
l'art, mais tu es loin de savoir que j'en sais plus
que tu le crois, je connais bien la peinture et je
dois te parler de cette chose-là, que tu portes…

Il soupire en poursuivant :

— J'ai tout fait pour t'en écarter, mais depuis toujours, je le sentais, tu as la couleur dans les mains, tu en as hérité, c'est comme ça...

Son visage est affreusement triste, il retient presque ses larmes, puis se met à me parler d'une chose que j'attendais depuis des siècles. J'ai du mal à réaliser ce qu'il me dit, il me parle d'anniversaire macabre : la date d'aujourd'hui correspond au jour où mes parents ont eu leur accident. Il s'excuse, voulait me protéger mais la vie lui a prouvé qu'il devait me parler de ça, de cette chose qu'il me cache depuis toujours : la vie de mes parents. Ma mère était peintre, elle a épousé son galeriste, mon père. Ils étaient très actifs, voyageaient beaucoup. Les Beaux-Arts d'Alger les invitaient souvent pour organiser des événements, ma mère exposait régulièrement dans son pays d'origine mais ce qu'elle peignait était mal vu par certains, sa vie et celle de mon père ne plaisaient pas, leur façon de penser, trop libre, dérangeait certains fanatiques qui craignaient de perdre leur pouvoir sur les gens. Comme ils devenaient de plus en plus populaires dans la capitale, les gens se sentaient concernés, leurs perceptions changeaient, s'ouvraient, ils prenaient conscience que le peuple arabe était culturellement riche depuis des siècles, la lumière, les écrits, la poésie, le savoir avaient toujours existé dans leur histoire, ils se la réappropriaient. Cependant cette ouverture menaçait, déplaisait, faisait peur aux fanatiques religieux qui considéraient l'art comme leur ennemi. Mais mes parents ne voulaient pas céder à la peur. Leur rôle était de continuer à éclairer, ils avaient des projets, voulaient construire une école d'art mais, encore et toujours, les islamistes extrémistes voyaient mal ce projet, qui faisait trop réfléchir les gens. Du jour au lendemain, ils ont mis le peuple dans le noir. Du jour au lendemain, ils ont décapité mes parents. Leur mort a été commanditée à l'aide d'un faux barrage. En traitres, les terroristes les ont éliminés, pour terroriser le peuple algérien afin qu'il oublie à jamais l'art en imposant une religion faussée et détournée à leur avantage, pour effacer toute réflexion, infantiliser les gens et les rendre incapables de toute pensée, par peur d'une démocratie devenue leur ennemie. De cette façon, une poignée de terroristes, faibles en nombre mais forts de

[note manuscrite en marge : les gens reste manipulable sans art]

leur violence, a fait oublier une religion pourtant bonne, sage, philosophique afin de faire passer les Algériens pour des terroristes en puissance et bannir la richesse, la culture, l'histoire et la lumière de ce peuple.

Sur un ton nostalgique, puis tragique, mon oncle m'apprend qu'il devait tout faire pour me protéger. La religion, il l'a toujours pratiquée pour lui. Je ne sais quoi répondre. Je comprends mieux pourquoi mon oncle et ma tante ont tout fait pour que j'oublie de peindre. Il se retourne pour ne pas montrer ses larmes. Il inspire, rassemble ses affaires, se donne du courage. Je voudrais le retenir mais il a déjà son sac dans les mains, je voudrais en savoir plus mais son visage est tellement affecté que je n'ose insister. La seule chose qu'il trouve à dire, c'est :

— Tu passes dimanche ?

J'acquiesce, lui ouvre la porte, on voudrait s'embrasser mais l'atmosphère est trop chargée. On se salue différemment, avec plus de chaleur, de pudeur. Il s'efface sans rien ajouter.

En refermant la porte, je tente de réaliser ce qui vient de se passer, ce que je porte en moi. Je devrais pleurer mais je suis énervée comme jamais je ne l'ai été. La colère implose en moi, je plaque mes mains sur mes tempes, je me crispe et brusquement mon bras balaye tout le matériel laissé sur la table, les pots, les pinceaux, les brosses, les bombes tombent à terre, le plus gros des pots de glycéro rouge explose et gicle, entraînant un second pot, la peinture rouge jaillit de partout. Je ne bouge pas, je fixe le rouge qui s'étend devant moi, je plonge mes yeux dans cette couleur sang, l'odeur s'évapore, imprègne mes narines, mes mains se contractent sur la chaise, la panique ne vient pas, je regarde mes cigarettes, l'envie de fumer pour me calmer ne me vient pas non plus, l'oxygène devrait aussi me manquer, l'asthme devrait me serrer la poitrine, je respire comme je ne l'ai jamais fait, parfaitement. La sérénité m'envahit, je me sens différente, libérée. Maintenant je sais ce qui m'a manqué. Maintenant le secret est dévoilé. Maintenant je me sens délivrée, mon souffle est fluide, je respire pleinement la vérité. Maintenant je reste certaine que l'art est